Arwen Schnack

Deutsch intensiv

Hören und Sprechen B1

Das Training.

Ernst Klett Sprachen
Stuttgart

Online-Zugangscode zu den Hördateien und Transkriptionen: **cvqp2fh**
Geben Sie den Code in das Suchfeld auf www.klett-sprachen.de ein:

Hier Code eingeben

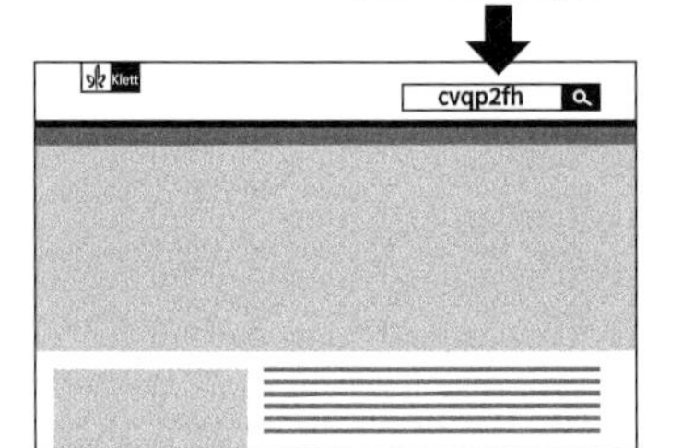

Audio-Dateien können Sie auch mit der Klett-Augmented-App (www.klett-sprachen.de/augmented) laden und abspielen.

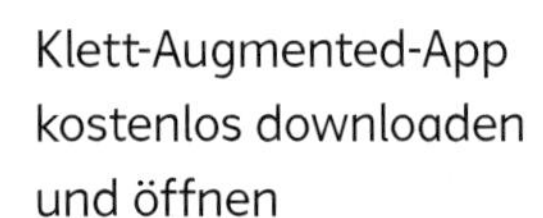

Klett-Augmented-App kostenlos downloaden und öffnen | Bilderkennung starten und Seiten mit Audios scannen | Audios laden, direkt nutzen oder speichern

1. Auflage 1 5 4 3 2 | 2025 24 23 22 21
Die letzte Zahl bezeichnet das Jahr des Druckes.
www.klett-sprachen.de

Autorin: Arwen Schnack

Redaktion: Leoni Röhr
Layoutkonzeption: Greta Gröttrup
Gestaltung und Satz: Datagroup Int, Timişoara
Umschlaggestaltung: Greta Gröttrup
Titelbild: Getty Images (mathiaswilson), München
Tontechnik und Produktion: Gunther Pagel, Top10 Tonstudio, Viernheim
SprecherInnen: Sigrun Schumacher, Hans-Peter Stoll, Christian Birko-Flemming, Anke Stößer, Markus Schultz, Svetlana Schwandt, Sofi Vega, Ron Vodovozov, Daniel Lenzen, Sophia Stößer, Helen Restauro Lenzen, Christian Hofbauer, Stefanie Plisch de Vega
Druck und Bindung: Plump Druck & Medien GmbH, Rheinbreitbach

Printed in Germany

ISBN 978-3-12-675212-1

Vorwort

Liebe Lernerinnen und Lerner, liebe Lehrerinnen und Lehrer,

in diesem Intensivtrainer *Hören und Sprechen B1* finden Sie Aufgaben und Übungen, mit denen Sie das Hören und Sprechen trainieren können.

Wer kann mit dem Intensivtrainer arbeiten?
Der Intensivtrainer ist für Lernerinnen und Lerner auf dem Niveau B1. Wenn Sie nicht sicher sind, wie gut Sie Hörtexte verstehen und selbst sprechen, können Sie den Selbsttest auf S. 6 machen. So erfahren Sie, welche Textsorte Sie beim Hören besonders üben sollten und in welchem Bereich Sie noch mehr Wörter und Ausdrücke lernen können.

Mit dem Intensivtrainer können Sie allein arbeiten. Hinten im Buch stehen die Lösungen zu den Höraufgaben. Auf der Internetseite von Klett finden Sie außerdem die Hörtexte zum Nachlesen (www.klett-sprachen.de/deutsch-intensiv-hoeren-und-sprechen). Zu den Sprechaufgaben gibt es teilweise auch Lösungen. (Näheres dazu siehe unten.) Wenn Sie einen Deutschkurs machen, können Sie das Hören und Sprechen mit dem Intensivtrainer zusätzlich trainieren.

Wie übe ich mit dem Buch?
Das Buch hat zwölf thematische Kapitel. Die ersten Kapitel sind einfacher, die letzten Kapitel schwieriger. Sie können vorne im Buch anfangen und dann ein Kapitel nach dem anderen bearbeiten. Aber natürlich können Sie auch sofort zu einem schwierigeren Kapitel gehen, wenn Sie das Thema gerade brauchen.

Wie finde ich, was ich suche?
Im Inhaltsverzeichnis (Seite 5) stehen alle Themen. Die Lösungen zu den Aufgaben sind hinten im Buch. Außerdem gibt es in den Kapiteln folgende Hinweise:

Diese Nummer sagt Ihnen, welcher Audio-Track zu der Aufgabe gehört. Sie können die Audio-Tracks mit der Klett-Augmented-App online hören oder herunterladen. (Mehr Information finden Sie auf S. 2.)

Hier finden Sie Übungen zum Sprechen.

Hier stehen einige Satzanfänge und Ausdrücke, mit denen Sie Ihre Aussagen leichter und besser formulieren können.

Hier gibt es Informationen zu Wörtern, Grammatik, Aussprache oder Landeskunde.

Wie bereite ich eine Prüfung vor?
Am Ende des Buches finden Sie ein Prüfungstraining (Block C). Dieses hilft Ihnen, sich auf den Deutschtest für Zuwanderer oder die Goethe-Prüfung B1 vorzubereiten. In den Tipps steht auch, wie die Prüfungen bewertet werden und wie viel Zeit Sie haben. Schauen Sie unbedingt immer wieder auf die Uhr, wenn Sie für Prüfungen üben.

Viel Erfolg beim Lernen und viel Spaß mit dem Buch wünschen Ihnen

Autorin, Redaktion und Ihr Ernst Klett Sprachen Verlag

So lernen Sie am besten

Hören

Lesen Sie die Aufgaben: Lesen Sie immer zuerst die Aufgaben. Hören Sie dann die Tracks und lösen Sie die Aufgaben. Zu allen Hörübungen finden Sie am Ende des Buches die Lösungen.

Hören Sie die Texte mehrmals: Vielleicht verstehen Sie beim ersten Hören nicht gleich alles. Seien Sie deswegen aber nicht enttäuscht. Die Höraufgaben sind so geschrieben, dass Sie sich das Verständnis selbst erarbeiten müssen. So lernen Sie mehr und machen größere Fortschritte. Und natürlich können Sie alle Tracks so oft hören, wie Sie möchten. Auch wenn Sie meinen, dass Sie alles verstanden und richtig bearbeitet haben, hören Sie jeden Hörtext am besten noch einmal, bevor Sie weitermachen. So gewinnen Sie mehr Sicherheit und merken sich gleich viele passende Wörter und Ausdrücke, die Sie beim Sprechen gebrauchen können.

Schauen Sie in die Audioskripte: Wenn Sie die Texte mehrere Male gehört haben und trotzdem noch nicht alles verstehen, können Sie die Texte auch herunterladen und die Stellen nachlesen (Mehr Information finden Sie auf Seite 2.). Arbeiten Sie aber nicht sofort mit den Lesetexten. Verwenden Sie diese nur, wenn Sie ohne Hilfe wirklich nicht weiterkommen. Wenn Sie alles verstanden und bearbeitet haben, können Sie die Texte beim Hören noch einmal mitlesen, um sicher zu gehen, dass Sie alle Wörter kennen und wissen, wie sie geschrieben werden.

Frei sprechen

Sprechen Sie laut: Das freie Sprechen kann man nur lernen, wenn man wirklich spricht. Lösen Sie die Aufgaben zum Sprechen deshalb nicht nur in Gedanken. Sprechen Sie die Sätze lieber laut. Das ist am Anfang vielleicht etwas komisch, aber Sie werden sich daran gewöhnen. Gerne können Sie die Sprechaufgaben auch mehrere Male machen. Viele Wiederholungen helfen dem Gehirn, das Gelernte zu speichern.

Benutzen Sie die Satzanfänge und Ausdrücke aus dem Buch: Zu vielen Sprechaufgaben finden sie Satzanfänge und Ausdrücke, mit denen Sie Ihre Sätze natürlich und authentisch formulieren können. Viele Formulierungen kennen Sie schon aus den Höraufgaben. Versuchen Sie, so ähnlich zu sprechen wie die Sprecherinnen und Sprecher in den Texten. Dabei kann es Ihnen helfen, die Hörtexte als Vorbereitung noch einmal zu hören. Manche Sätze lernen Sie am besten komplett auswendig. Bei anderen Sätzen können Sie nur Teile benutzen. An den Stellen, an denen Punkte (...) stehen, müssen Sie eigene Informationen ergänzen.

Machen Sie Tonaufnahmen: Wenn Sie möchten, können Sie sich selbst aufnehmen. Hören Sie sich Ihre Beiträge danach an und versuchen Sie, das nächste Mal noch etwas flüssiger oder richtiger zu sprechen.

Nutzen Sie die Beispiellösungen aus Kapitel 1: Da die Inhalte der Sprechaufgaben von Sprecher zu Sprecher verschieden sind, finden sich im Buch kaum Lösungen zu den Sprechaufgaben. Nur in Kapitel 1 sind ein paar Beispiellösungen vorgegeben, damit Sie sehen, wie man die Satzanfänge benutzen und variieren kann. (Gehen Sie dazu auf Seite 92.)

Inhalt

A Durchsagen

1 Hören Sie die Durchsagen und ordnen Sie die Orte und Medien zu.

1. Durchsage A ____ a) am Bahnhof
2. Durchsage B ____ b) im Supermarkt
3. Durchsage C ____ c) im Radio
4. Durchsage D ____ d) Navi im Auto
5. Durchsage E ____ e) Anrufbeantworter
6. Durchsage F ____ f) auf dem Markt

2 Hören Sie die Durchsagen noch einmal und ergänzen Sie die fehlenden Informationen.

1. Äpfel – ____________ Euro

2. Zum Rathaus:
geradeaus, nach 50m
____________, dann
____

3. Hey du! Mein Zug hat Verspätung. Ich komme ____________ Minuten später an. Bis gleich!

4. Hallo Hannah! Marek hat angerufen.
Er kann heute nicht kommen, weil
er ____________ ist. Du sollst
das Lied vom letzten Mal üben.
Bis später
Papa

5. Joghurt – ____________ Euro
Kartoffeln – ____________ Euro
Kaffee – ____________ Euro

6. Hi Max! Wenn wir morgen spazieren gehen wollen, dann am besten am ____________.
Am ____________ und am ____________ soll es regnen.

B Gespräch

1 Richtig oder falsch? Kreuzen Sie an.

	richtig	falsch
1. Frau Dragan möchte einmal in der Woche ins Fitnessstudio gehen.	◯	◯
2. Frau Dragan findet den Preis günstig.	◯	◯
3. Herr Bergström sagt, dass die Trainerinnen und Trainer gut sind.	◯	◯
4. Frau Dragan sagt, dass Sie beim Training keine Hilfe braucht.	◯	◯
5. Frau Dragan würde beim Training gern Leute kennenlernen.	◯	◯
6. Herr Bergström sagt, dass am Frauentag keine Männer kommen.	◯	◯
7. Herr Bergström sagt, dass Musik und Fernsehen beim Training helfen.	◯	◯
8. Herr Bergström bietet Frau Dragan an, zum Probetraining zu kommen.	◯	◯
9. Frau Dragan möchte lieber gleich den Vertrag unterschreiben.	◯	◯

2 Lesen Sie Frau Dragans Notizen. Was ist richtig? Kreuzen Sie an.

Fitnessstudio „Fit und gesund"

1. Preis: 40 Euro	◯ a) für 4x Training		◯ b) pro Monat		
2. Öffnungszeiten:	◯ a) Mo. – Fr. 8 – 21, Sa + So 8 – 23				
	◯ b) Mo. – Fr. 10 – 17				
3. Frauentag:	◯ a) Mo	◯ b) Di	◯ c) Mi	◯ d) Do	◯ e) Fr
4. Probetraining:	◯ a) 1x	◯ b) 3x			
5. Vertrag:	◯ a) 1 Jahr	◯ b) ½ Jahr			

3 Mit welchen Satzanfängen können Sie um Informationen bitten? Kreuzen Sie an.

◯ 1. Am liebsten würde ich …

◯ 2. Was kostet denn …

◯ 3. Wie ist/sind denn …

◯ 4. Wie finden Sie …

◯ 5. Können Sie mir sagen, …

◯ 6. Ich habe noch eine Frage: …

C Radiointerview

3 1 Hören Sie. Was ist richtig? Kreuzen Sie an. Manchmal gibt es mehrere Möglichkeiten.

1. Was ist Gonzalo Rodriguez von Beruf?

- ◯ a) Schauspieler
- ◯ b) Musiker
- ◯ c) Sportler

2. Woher kommt er?

- ◯ a) aus Deutschland
- ◯ b) aus China
- ◯ c) aus Chile

3. Worüber spricht er in dem Interview?

- ◯ a) über seinen neuesten Erfolg
- ◯ b) über Erinnerungen aus seiner Kindheit
- ◯ c) über die aktuelle Situation in seinem Heimatland
- ◯ d) über seine Jugend
- ◯ e) darüber, wie er Profi geworden ist
- ◯ f) über die Zitronenbäume in seiner Heimat

3 2 Hören Sie das Interview noch einmal. Ergänzen Sie die Sätze.

1. Gonzalos Familie ist in den 70er Jahren nach ______________________ gezogen.
2. Da war Gonzalo ______________ Jahre alt.
3. Er erinnert sich noch an seinen ______________________ ______________________ aus der Nachbarschaft.
4. Als kleines Kind ist Gonzalo manchmal mit seiner Mutter zum ______________________ gegangen.
5. Gonzalo macht Rockmusik mit ______________________ Texten.
6. Seit er dreizehn Jahre alt ist, spielt er ______________________.
7. Das Instrument hat er von seinen Eltern zum ______________________ geschenkt bekommen.
8. Das Spielen hat er von seinen ______________________ gelernt.
9. Als er zwanzig Jahre alt war, hat er mit seiner Band Konzerte gegeben und das erste ______________________ als Musiker verdient.

3 Mit welchen Satzanfängen kann man über die Vergangenheit erzählen? Kreuzen Sie an.

- ◯ 1. Ich erinnere mich an …
- ◯ 2. Als ich 13 Jahre alt war, …
- ◯ 3. Wenn ich meine Eltern besuche, …
- ◯ 4. Früher haben wir immer …
- ◯ 5. Ich gehe/mache selten …
- ◯ 6. In letzter Zeit …

1 Kontakte

1 Und? Was machst du so?

4 **1 Auf einer Party von Sonja treffen sich Micha und Tarek zum ersten Mal. Hören Sie den Dialog. Kreuzen Sie an, über welche Themen gesprochen wird.**

◯ 1. gemeinsame Bekannte
◯ 2. Sprachkenntnisse
◯ 3. Beruf und Studium
◯ 4. Herkunft
◯ 5. die gemeinsame Zeit an der Uni
◯ 6. Reisen
◯ 7. Essen und Trinken

2 Beruf oder Studium? Ordnen Sie die Begriffe aus dem Kasten in die Tabelle.

Medizin • Biologie • Anwalt • Geschichte • Zahnarzthelfer • Altenpfleger • Busfahrer • Philosophie • Maler • Metzger • Mathematik • Jura

Beruf	Studium

5 **3 Stellen Sie sich vor, Sie sind auch auf der Party von Sonja. Sören kommt zu Ihnen und beginnt ein Gespräch. Hören Sie die Fragen und antworten Sie. Die Satzanfänge helfen Ihnen.**

1.
Ich bin ... von Beruf.
Ich studiere ... an der Uni ...

2.
Ja/Nein. Ich komme ursprünglich aus ...
Ich bin in ... aufgewachsen und mit ... Jahren / vor ... Jahren nach Deutschland gekommen.
Meine Familie kommt ursprünglich aus ...

3.
In Rumänien? Leider noch nie, aber ich habe gehört, dass ...
Ja, ich war ein-/zwei-/drei-/ein paarmal in Rumänien. Ich finde es ...

TIPP Viele Leute sprechen auf Partys darüber, was sie beruflich machen. Man spricht aber nie über das Einkommen, das wird in Deutschland als sehr privat angesehen.

4 Hören Sie den Dialog zwischen Micha und Tarek noch einmal. Kreuzen Sie an, was richtig ist. Korrigieren Sie dann die falschen Aussagen.

◯ 1. Micha kennt Sonja ~~von einem Zahnarztbesuch.~~ von der Arbeit

◯ 2. Micha und Sonja arbeiten als Zahnarzthelferinnen. ____________

◯ 3. Tarek studiert Medizin. ____________

◯ 4. Tareks Eltern kommen ursprünglich aus Marrakesch. ____________

◯ 5. Tarek hat in der Umgebung von Marrakesch Familie. ____________

◯ 6. Tarek ist in Kiel aufgewachsen. ____________

◯ 7. Sonja und Tarek sind zusammen. ____________

◯ 8. Tarek möchte Salami-Pizza. ____________

◯ 9. Micha nimmt auch ein Bier. ____________

TIPP *zusammen sein* bedeutet, eine Liebensbeziehung zu haben. *Wir sind nur Freunde* bedeutet, dass man keine Liebesbeziehung hat.

5 Orts- und Zeitangaben

a Hören Sie einen Teil des Gesprächs noch einmal. Ergänzen Sie dabei die Lücken in den Sätzen.

1. Ich habe sie ____________ ____________ kennengelernt.
2. Es ist wunderschön! Ich glaube, das erste Mal war ich ____________ ____________.
3. Da hat mich meine Mutter eingeladen, und wir waren fast ____________ ____________.
4. Du hast Sonja kennengelernt und bist ____________ ____________ gezogen?

b Sehen Sie sich die Sätze in a noch einmal an. Was ist richtig? Kreuzen Sie an.

1. Ortsangaben stehen vor Zeitangaben. ◯
2. Zeitangaben stehen vor Ortsangaben. ◯

Nachts in Kiel

6 Hören Sie ein Gespräch zwischen Micha und Sören. Machen Sie Notizen zu den Fragen. Beantworten Sie die Fragen dann mündlich. Achten Sie auf die Reihenfolge der Zeit- und Ortsangaben!

1. Wie lange und wo war Sören im Urlaub? zwei Monate, Kuba

   Sören war zwei Monate auf ...

2. Wann und wo hat Micha Tarek kennengelernt? ____________
3. Wann und wo hat Sören Tarek kennengelernt? ____________
4. Wie lange wohnt Sören schon in Kiel? ____________

7 Umgangssprache

4 **a** Was passt zusammen? Verbinden Sie. Zur Kontrolle können Sie das Gespräch noch einmal hören.

1.	Woher kennst du sie	____ a)	hast du auch Hunger?
2.	Und was machst du	____ b)	denn?
3.	Sag mal,	____ c)	Gerne!
4.	Soll ich dir vielleicht eins mitbringen?	____ d)	so?

TIPP In informellen Kontexten können *bitte* und *danke* recht förmlich wirken. *mal* und *gerne* dagegen sind informeller und wirken in Situationen wie Partys manchmal natürlicher. Einige Partikel kann man auch kombinieren: *Mach doch mal bitte das Fenster zu.*

b Kleine Wörter: Ergänzen Sie *denn, so, mal* und *gerne.*

Die Partikeln (1) ______________ und ______________ drücken Interesse aus und werden in Fragen verwendet. Dabei fragt man mit (2) ______________ eher nach einer konkreten Information. Fragen mit (3) ______________ dagegen sind offener.

Die Partikel (4) ______________ macht eine Aufforderung höflicher. Man kann sie aber auch mit ***bitte*** kombinieren: ***Kannst du mir bitte*** (5) ______________ ***einen Löffel geben?***

Mit dem Adverb (6) ______________ kann man Einladungen und Angebote annehmen.

TIPP Achten Sie in Gesprächen, Filmen oder Radiosendungen auf kleine Wörter wie *ja, mal, denn, doch* usw. Hören Sie auch auf die Satzmelodie.

8 **c** Hören Sie und sprechen Sie nach. Achten Sie dabei auf die Intonation.

d Ergänzen Sie die passenden kleinen Wörter aus a.

1. Möchtest du einen Rotwein? – ______________.
   Hast du Lust auf Kuchen? – ______________.
2. Und? Wie geht es dir ______________?
   Was hast du am Wochenende ______________ vor?
3. Mach ______________ bitte die Musik leiser!
   Hör ______________, hat es nicht gerade an der Tür geklingelt?
4. Wie heißt du ______________?
   Wo wohnst du ______________?

9 8 Auf Sonjas Party unterhalten Sie sich mit einem Gast, den Sie gerne näher kennenlernen würden. Lesen Sie die Aufgaben. Stellen Sie dann Fragen und hören Sie, wie Ihr Gesprächspartner antwortet und Ihnen eine Gegenfrage stellt. Antworten Sie.

1. Fragen Sie Ihren Gesprächspartner, wen er auf der Party kennt.
2. Fragen Sie Ihren Gesprächspartner, was er beruflich macht.
3. Fragen Sie Ihren Gesprächspartner, ob er ursprünglich aus Kiel kommt.
4. Fragen Sie Ihren Gesprächspartner, was er in seiner Freizeit macht.
5. Fragen Sie Ihren Gesprächspartner, ob er auch Hunger hat und mit in die Küche kommen möchte.

2 Haben Sie gut hergefunden?

1 Hören Sie den ersten Teil eines Vorstellungsgesprächs. Beantworten Sie dann die Fragen. Kreuzen Sie an.

1. Wer ist gerade mit dem Bus angekommen?
   ○ Frau Yildiz ○ Herr Wolter
2. Wer bewirbt sich bei dem Unternehmen?
   ○ Frau Yildiz ○ Herr Wolter
3. Wer stellt das Unternehmen vor?
   ○ Frau Yildiz ○ Herr Wolter

2 Hören Sie den ersten Teil des Gesprächs noch einmal. Was ist richtig? Kreuzen Sie an.

1. Nils Wolter hat den Weg von der Bushaltestelle
   ○ nicht gefunden. ○ gut gefunden. ○ nur schwer gefunden.
2. Das Unternehmen ist
   ○ 2005 gegründet worden. ○ 2009 gegründet worden. ○ 2013 gegründet worden.
3. Das Unternehmen hat Büros in
   ○ Berlin, Fürth und Stuttgart. ○ Berlin, Nürnberg und Hamburg. ○ Bonn, Wien und Graz.
4. Das Unternehmen ist im Bereich … tätig.
   ○ IT und Software ○ Unternehmensberatung ○ Betreuung
5. Der neue Mitarbeiter soll … sein.
   ○ nur fachlich gut ○ vertrauensvoll ○ fachlich gut und außerdem freundlich und zuverlässig
6. In dem Büro in Nürnberg arbeiten
   ○ 35 Praktikanten. ○ 35 Mitarbeiter im Büromanagement. ○ 35 Leute.

3 Nun Sie: Stellen Sie das Unternehmen vor, bei dem Sie arbeiten, eine Ausbildung oder ein Praktikum machen. Sie können auch über ein Unternehmen sprechen, bei dem Sie gerne arbeiten würden. Die Satzanfänge helfen Ihnen.

Die Firma ist seit ... im Bereich ... tätig.

Wir betreuen/beraten/produzieren...

Das Unternehmen ist ... gegründet worden.

Zu unseren Kunden gehören … .

4 In Vorstellungsgesprächen werden häufig bestimmte Adjektive verwendet. Finden Sie acht Adjektive und setzen Sie diese in die Lücken ein.

SORGKREATIVSDFEZHVERTRAUENSVOLLSDUFTEAMFÄHIGOSDZFFACHLICHSDFGRÜNDLICHSIDFZINDIVIDUELL

SODFZZUVERLÄSSIGSDFZKOMPETENTSODIF

1. Software, die persönlich ist und genau zum Kunden passt, ist ______________________.
2. Wenn jemand viele gute Ideen hat, ist er oder sie ______________________.

3. Wenn man seine Arbeit ordentlich und genau macht, arbeitet man ______________________.
4. Ein Verhältnis, bei dem sich beide Partner aufeinander verlassen können, ist ______________________.
5. Eine Person, auf die man sich verlassen kann, ist ______________________.
6. Wenn man etwas gut kann, ist man ______________________.
7. Jemand, der gut mit anderen Menschen zusammenarbeiten kann, ist ______________________.
8. Wenn man in seinem Arbeitsbereich gut ist, ist man ______________________ gut.

11 5 Hören Sie den zweiten Teil des Vorstellungsgesprächs. In welcher Reihenfolge sprechen Herr Wolter und Frau Yildiz über diese Themen? Nummerieren Sie.

_____ a) Frau Yildiz und Herr Wolter sprechen über die Arbeitsbedingungen.

_____ b) Herr Wolter erzählt von seinem Studium und seinem Umzug.

_____ c) Frau Yildiz fragt Herrn Wolter nach seinen Zielen für die Zukunft.

_____ d) Frau Yildiz fragt Herrn Wolter nach seinen Stärken und Schwächen.

11 6 Hören Sie den zweiten Teil des Gesprächs noch einmal. Was ist richtig? Kreuzen Sie an.

1. Nils Wolter hat
   - ◯ ein Informatikstudium abgeschlossen.
   - ◯ in Nürnberg Projektmanagement studiert.
   - ◯ keine Qualifikation im Bereich IT.
2. Nils Wolter bewirbt sich, weil er sich
   - ◯ schlecht bezahlt fühlt.
   - ◯ weiterbilden und weiterentwickeln möchte.
   - ◯ mit dem alten Chef nicht versteht.
3. Als Schwäche nennt Nils Wolter, dass
   - ◯ er nicht gut im Zeitmanagement ist.
   - ◯ er es nie schafft, Projekte abzuschließen.
   - ◯ er nicht gern zwei Sachen gleichzeitig macht.
4. Als Stärke gibt er an, dass
   - ◯ er gut kritisieren kann.
   - ◯ er gut auf Kritik antworten kann.
   - ◯ er gut mit anderen zusammenarbeiten kann und andere ihn auch kritisieren dürfen.
5. Nils Wolter würde gern
   - ◯ Vollzeit arbeiten und mehr als 3.700 Euro verdienen.
   - ◯ mehr als dreißig Stunden in der Woche arbeiten.
   - ◯ Teilzeit arbeiten und mindestens 3.700 Euro verdienen.

7 Was sind Ihre Stärken und Schwächen? Erzählen Sie. Dabei können Sie die folgenden Satzanfänge benutzen.

Also, eine Stärke von mir ist, dass ich...
Ich bin sehr / mache / arbeite / denke ... und kann gut...

Eine Schwäche von mir ist, dass ... /
Was ich nicht so gut kann, ist ... /
Meine größte Schwäche ist wahrscheinlich mein/e...

8 Hören Sie das ganze Gespräch noch einmal. Ergänzen Sie die Lücken in den Sätzen.

1. Guten Tag, ich bin Özlem Yildiz. Haben Sie gut ________________?
2. Bitte, setzen Sie sich. Ich ________________ ________________, dass ich erst einmal ein bisschen was zu unserem Unternehmen erzähle.
3. Das Unternehmen ist in Berlin ________________ worden. Seit 2009 gibt es unser Büro hier in Nürnberg.
4. Wir ________________ Unternehmen bei der Entwicklung von individueller Software.
5. Wie viele Mitarbeiter sind denn hier in Nürnberg ________________?
6. Seitdem arbeite ich bei einem kleinen Unternehmen hier in Nürnberg. Dafür bin ich von Bonn ________________ ________________.
7. Warum sollten wir gerade Sie ________________?
8. Einerseits ________________ ich durch mein Studium und meine Arbeitserfahrung die fachlichen Voraussetzungen.
9. Ich glaube, ich könnte die Kunden deshalb auch gut beraten und ________________.
10. Ich stelle mir vor, dass ich noch mehr Verantwortung ________________.
11. Wenn ich fünf Projekte auf einmal auf dem Schreibtisch ________________ habe, kann ich nicht so gut arbeiten.
12. Wenn wir im Team Ideen ________________, habe ich kein Problem damit, wenn mich jemand kritisiert.

9 Lesen Sie die Fragen aus einem Vorstellungsgespräch. Machen Sie Notizen zu Ihrer Person. Beantworten Sie die Fragen dann.

1. Erzählen Sie etwas über sich und Ihre Ausbildung.
   - Ich habe ... in ... studiert und ...
   - Ich bin ausgebildete(r) ...
2. Sind Sie mit Ihrem jetzigen Job nicht zufrieden?
   - Nein. Was mir dort nichts so gut gefällt, ist ... /
   - Doch, schon, aber ...
3. Fühlen Sie sich durch Ihre Ausbildung gut auf diesen Job vorbereitet?
   - Ja / Nein, ich denke ...
4. Wo liegen Ihre Stärken?
   - Ich kann gut ...
5. Und Ihre Schwächen?
   - Was ich nicht so gut kann, ist ...
6. Wie stellen Sie sich Ihre Position in fünf Jahren vor?
   - Also, in fünf Jahren würde ich gern ...
7. Möchten Sie lieber in Vollzeit oder in Teilzeit arbeiten?
   - ... würde mir besser gefallen.
8. Wie stellen Sie sich Ihr Gehalt vor?
   - Also, bei meinem jetzigen Job verdiene ich ...

10 Hören Sie die Fragen aus einem Vorstellungsgespräch und antworten Sie. Sie können ähnliche Antworten formulieren wie in Aufgabe 9.

TIPP Gerade beim Sprechen sind Wiederholungen sehr wichtig. Sie können eine Sprechsituation zwei-, drei- oder auch fünfmal üben, bis Sie beim Sprechen nicht mehr nachdenken müssen. Beim fünften Mal werden Sie flüssiger und mit einer natürlicheren Intonation sprechen.

2 Gefühle und Konflikte

1 Wie geht's dir heute?

14 **1 Drei Personen erzählen von ihren Gefühlen. Hören Sie und ordnen Sie die Gefühle aus dem Kasten zu.**

[Langeweile • Freude • Ärger • Wut • Aufregung • Nervosität • Traurigkeit • Einsamkeit • Enttäuschung]

Maria Petrescu

Daniele Vitale

Katharina Nürnberger

1. ______________________________

2. ______________________________

3. ______________________________

TIPP *nervös* bedeutet auf Deutsch nicht *wütend* oder *aggressiv*. Es bedeutet etwas Ähnliches wie *aufgeregt* oder *ängstlich*.

2 Verben mit Präpositionen

a Hören Sie noch einmal. Ergänzen Sie die Lücken.

TIPP Präpositionen wie *für, über* oder *auf* stehen vor einer Nominalgruppe oder vor einem Pronomen, wenn dieses für eine Person steht. Präpositionaladverbien wie *dafür, darüber* oder *darauf* ersetzen die Nominalgruppe bzw. das Pronomen, wenn dieses für eine Sache steht. Außerdem können sie ein Verb aus dem Hauptsatz mit einem Nebensatz verbinden.

Maria Petrescu: Ich muss zugeben, dass ich mich schon öfter (1) ____________________ sie geärgert habe. Aber so wütend wie jetzt gerade war ich noch nie (2) ____________________ sie. Eigentlich bin ich nicht nur wütend oder ärgerlich. Ich bin enttäuscht (3) ____________________ ihr, das ist es.

Daniele Vitale: Wochenlang habe ich mich (4) ____________________ diesen Tag gefreut. Und auch jetzt freue ich mich natürlich (5) ____________________, dass ich hier bin.

Katharina Nürnberger: Mit ihr war es nie langweilig. Ich erinnere mich (6) ____________________ so viele lustige Geschichten mit ihr.

b Ergänzen Sie die Verben zu den Präpositionen. Die Sätze in a helfen Ihnen.

1. sich ärgern ____________ etwas oder jemanden
2. wütend sein ____________ jemanden
3. enttäuscht sein ____________ jemandem
4. sich freuen ____________ etwas, das in der Zukunft liegt
5. sich freuen ____________ etwas in der Gegenwart
6. sich erinnern ____________ etwas oder jemanden

15 3 Hören Sie weiter, was Maria Petrescu erzählt. Was ist richtig? Kreuzen Sie an.

1. Die Einladungen für die Familienfeier hatte Maria
   - ◯ schon geschrieben.
   - ◯ noch nicht geschrieben.
2. Die Schwiegermutter hat
   - ◯ die Fahrt zur Familienfeier gebucht.
   - ◯ eine Reise gebucht. Deswegen kommt sie nicht zur Feier.
3. Maria
   - ◯ plant die Feier jetzt ohne die Schwiegermutter.
   - ◯ muss alles neu planen und ist sehr wütend.

15 4 Wut ausdrücken.

a Hören Sie noch einmal und ergänzen Sie die Verben.

1. Das ________________ es doch nicht.
2. Das ________________ doch wohl nicht wahr sein.
3. Wie ________________ denn das sein?
4. Was ________________ sie sich nur dabei?
5. Darüber könnte ich mich ohne Ende ________________.

b Lesen Sie die Sätze aus a laut und wütend vor. Achten Sie darauf, dass Ihre Intonation so ähnlich klingt wie die von Maria Petrescu.

5 Wählen Sie eine der Situationen. Stellen Sie sich vor, Sie sind sehr wütend und erzählen einer Freundin oder einem Freund davon. Verwenden Sie auch Ausdrücke aus 4.

Situation 1:	Situation 2:	Situation 3:
Sie haben jemanden zum Essen eingeladen und zwei Stunden lang gekocht. Fünf Minuten vor der Verabredung sagt die Person ab.	Sie haben jemandem ein Geheimnis erzählt. Die Person hat es weitererzählt. Jetzt weiß es der ganze Freundeskreis.	Jemand hat versprochen, Sie vom Flughafen abzuholen, da Sie schweres Gepäck dabeihaben. Nun ist es 11 Uhr abends und die Person ist nicht da.

16 6 Daniele Vitale erzählt. Hören Sie. Was ist richtig? Kreuzen Sie an.

◯ 1. Daniele Vitale hat als Kind davon geträumt, zum Zirkus zu gehen.

◯ 2. Er hat sich als Jugendlicher fürs Theater interessiert.

◯ 3. Er hatte nie Angst davor, vor vielen Leuten auf der Bühne zu stehen.

◯ 4. Er hat immer darüber gelacht, wenn jemand etwas falsch gemacht hat.

◯ 5. Beruflich hat er sich nicht für die Schauspielerei entschieden.

◯ 6. Er hat darauf gehofft, später noch einmal Theater spielen zu können.

◯ 7. Für seine Kinder hat er ein paar Kartentricks gelernt.

◯ 8. Wenn er heute auf der Bühne steht, konzentriert er sich nur auf seine Angst.

7 Mehr Verben mit Präpositionen: Verbinden Sie. Hilfe finden Sie in Übung 6.

[vor • für • auf • von • über • auf]

1. sich interessieren/entscheiden ______
2. sich konzentrieren ______
3. träumen ______
4. Angst haben ______
5. hoffen ______
6. lachen ______

8 Hören Sie, was Katharina Nürnberger erzählt. Was ist richtig? Kreuzen Sie an.

17

	richtig	falsch
1. Seit dem Umzug hat Katharina nichts von Monika gehört.	◯	◯
2. Monika ist in der neuen Stadt wahrscheinlich sehr beschäftigt.	◯	◯
3. Es kann gut sein, dass Monika schon neue Bekannte hat.	◯	◯
4. Monika vermisst ihre alten Freunde nicht.	◯	◯

9 Hören Sie noch einmal. Ergänzen Sie die fehlenden Wörter und überlegen Sie, was man damit ausdrückt.

17

1. Natürlich habe ich ihr schon ein paar Mails geschrieben. Aber bisher hat sie noch nicht geantwortet. Ich ______________ ________, dass sie noch viel mit dem Umzug und der Arbeitssuche zu tun hat.
2. Bestimmt geht sie oft aus, um neue Leute kennenzulernen. Ich könnte mir ______________, dass sie jetzt in den ersten Wochen schon ein paar neue Freunde gefunden hat.
3. Allerdings sind alte Freunde, die man schon lange kennt, auch sehr wichtig. Ich ______________ __________, dass es ihr gut geht, sie mich aber bestimmt auch vermisst.

Mit den Ausdrücken formuliert man ◯ Gefühle ◯ Traurigkeit ◯ Vermutungen.

10 Sehen Sie sich die Fotos an. Was machen und fühlen die Personen? Formulieren Sie zu jedem Foto drei Vermutungen. Verwenden Sie Ausdrücke aus Übung 8 und 9 und Verben mit Präpositionen.

1. 2. 3. 4. 5.

Ich könnte mir vorstellen, dass sich der Mann auf dem ersten Bild darüber ärgert, was jemand zu ihm gesagt hat.

Ich würde denken, dass der Mann auf dem ersten Bild auf jemanden wartet und wütend auf die Person ist, die ihn so lange warten lässt.

Es könnte aber auch sein, dass er gar nicht wütend oder ärgerlich ist, sondern etwas nicht verstanden hat.

TIPP Lange Sätze wie hier bei den Vermutungen sind schwierig. Nehmen Sie sich Zeit dafür und sprechen Sie am Anfang langsam. Üben Sie regelmäßig. Dann werden Sie mit der Zeit schneller.

TIPP Denken Sie bei Bild 4 daran, dass *das Mädchen* grammatikalisch nicht feminin, sondern neutral ist: *Das Mädchen ist traurig, weil es ...*

2 Ich würde gern mal kurz mit Ihnen sprechen.

18 1 Hören Sie ein Telefongespräch. Was ist richtig? Kreuzen Sie an.

- ◯ 1. Dev Paretkar muss in den Unterricht und den Schülern Noten geben.
- ◯ 2. Die Schuldirektorin schaut, ob Dev gut unterrichtet.
- ◯ 3. Dev Paretkar ist bald mit seiner Ausbildung zum Lehrer fertig.

2 Seine Meinung zu etwas sagen: Wie können Sie eine Arbeit loben oder kritisieren? Sammeln Sie Ausdrücke.

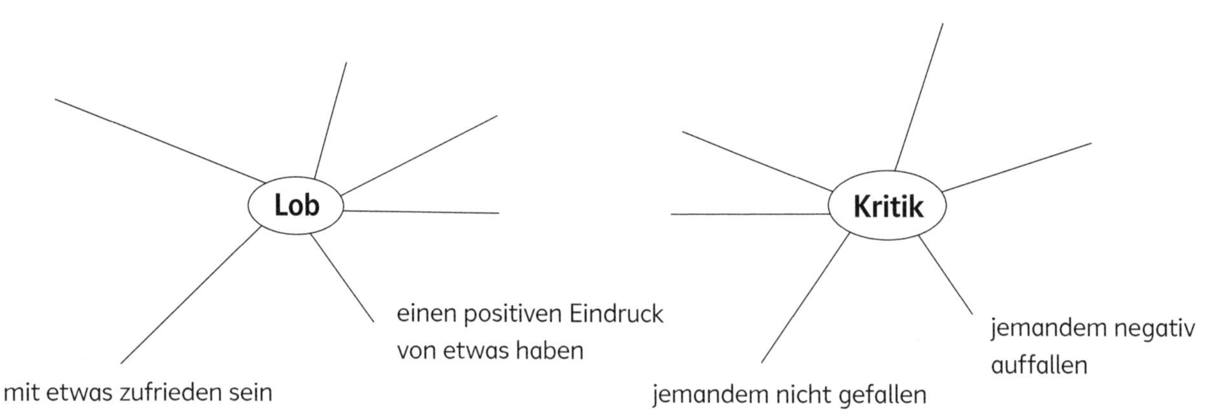

19 3 Nach der Lehrprobe: Hören Sie ein Gespräch zwischen Dev Paretkar und seiner Chefin. Was ist richtig? Kreuzen Sie an.

1. Wie findet Dev Paretkar seinen eigenen Unterricht?
   ◯ eher gut ◯ nicht so gut
2. Was hält die Schuldirektorin von Devs Unterricht?
   ◯ viel ◯ wenig
3. Wie haben die Schüler im Unterricht mitgemacht?
   ◯ aktiv ◯ nicht so aktiv

19 4 Hören Sie das Gespräch noch einmal und ergänzen Sie die Ausdrücke.

- ● Wie haben Sie die Unterrichtsstunde erlebt?
- ○ Also, erst einmal habe ich ein (1) ______________________________.
- ● Gab es etwas, was Ihnen nicht so gut gefallen hat?
- ○ Ganz am Anfang (2) ______________________________
  ______________________, dass von den Kindern mehr Ideen gekommen wären.
- ● Gut, vielen Dank für Ihre Einschätzung. Ich (3) ______________________, dass mir Ihr Unterricht sehr gut gefallen hat.

  Man hat gemerkt, dass sie Ihnen die Lehrprobe möglichst leicht machen wollten. Das (4) ______________
  ______________ auch, dass Sie eine gute Beziehung zu den Kindern haben.

  Die Art, wie Sie mit dem Thema angefangen haben, (5) ______________________ aber kreativ und passend.

5 Mit welchen Sätzen kann man auf eine positive Bewertung reagieren? Kreuzen Sie an.

◯ 1. Vielen Dank für die Glückwünsche.

◯ 2. Vielen Dank für die positive Rückmeldung.

◯ 3. Es freut mich, dass Ihnen ... gefallen hat.

◯ 4. Danke. Ich freue mich, wenn ich einen positiven Eindruck vermitteln konnte.

◯ 5. Ich bin zufrieden, danke.

◯ 6. Ja, das war toll.

20 6 Hören Sie ein Gespräch zwischen Frau Schneider und ihrem Chef. Welches Bild passt? Kreuzen Sie an.

◯ 1. ◯ 2. ◯ 3.

20 7 Hören Sie das Gespräch noch einmal. Wer sagt das, Frau Schneider oder ihr Chef? Kreuzen Sie an.

	Frau Schneider	der Chef
1. Hätten Sie mal kurz Zeit? Ich würde gerne etwas mit Ihnen besprechen.	◯	◯
2. Wie war denn Ihr Eindruck von dem Gespräch?	◯	◯
3. Herr Medvedev hatte eine etwas eigene Art.	◯	◯
4. Wo genau lag denn das Problem?	◯	◯
5. Was ich schwierig finde, ist seine Art zu kommunizieren.	◯	◯
6. Mir gegenüber hat er die Situation anders dargestellt.	◯	◯
7. Das würde erklären, warum er so wütend geworden ist.	◯	◯
8. Was mir aber nicht so gut gefällt, ist die Art, wie Sie mit dem Problem umgegangen sind.	◯	◯
9. Mir wäre es sehr lieb, wenn Sie mir in Zukunft Bescheid sagen würden.	◯	◯

TIPP Die Ausdrücke in Aufgabe 7 sind sehr höflich. Man kann sie aber auch in privaten Situationen verwenden. Natürlich sagt man dann nicht *Sie*, sondern *du*.

8 Redemittel und ihre Funktionen: Was passt zusammen? Ordnen Sie zu.

1. Erst einmal habe ich einen positiven Eindruck.
   Ich muss sagen, dass mir ... sehr gut gefallen hat.
   Die Art, wie Sie ... haben, fand ich ...
2. Ich hätte mir gewünscht, dass ...
   Was ich schwierig finde, ist ...
   Was mir nicht so gut gefällt, ist ...
3. Mir wäre es lieb, wenn Sie ... würden.
   Ich würde Sie bitten, nächstes Mal ...
4. Vielen Dank für die positive Rückmeldung.
   Es freut mich, dass Ihnen ... gefallen hat.
   Danke. Ich freue mich, wenn ich einen positiven Eindruck vermitteln konnte.
5. Wie haben Sie ... erlebt?
   Wie war Ihr Eindruck von ...?

_____ a) jemanden nach seiner Meinung fragen

_____ b) eine positive Rückmeldung geben

_____ c) sich für eine positive Rückmeldung bedanken

_____ d) Kritik üben

_____ e) Anweisungen geben

9 Lesen Sie die Situationen. Reagieren Sie dann. Verwenden Sie Redemittel aus Übung 8.

Ihre Kollegin hat eine Präsentation gehalten. Sie fragt Sie nach Ihrer Meinung.

1. Geben Sie eine positive Rückmeldung (klare Struktur, gute Grafiken, angenehme Art zu sprechen).

2. Üben Sie Kritik (keine klare Struktur, schlechte Bilder, zu leise / zu schnell / nicht frei gesprochen).

Sie haben mit einem Kollegen zusammen ein Projekt abgeschlossen.

3. Fragen Sie Ihren Kollegen nach seiner Meinung zu Ihrer Teamarbeit.

4. Bewerten Sie die gemeinsame Teamarbeit. Geben Sie dabei positive Rückmeldungen (offener Austausch / angenehme Stimmung / gute Ideen) und üben Sie in einem Punkt Kritik (Termine nicht eingehalten).

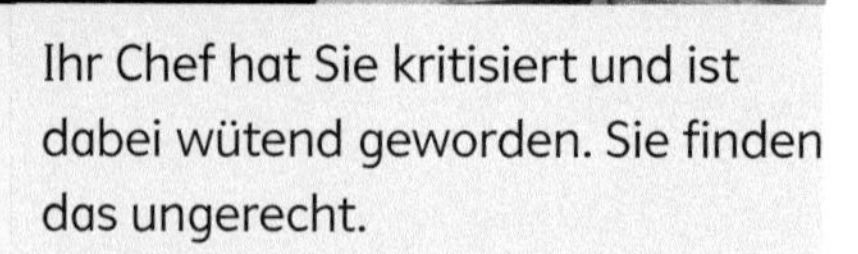

Ihr Chef hat Sie kritisiert und ist dabei wütend geworden. Sie finden das ungerecht.

5. Üben Sie Kritik an seinem Verhalten.

6. Machen Sie Vorschläge, wie man Ihrer Meinung nach mit solchen Konflikten besser umgehen sollte (nicht unterbrechen / zuhören / sich um gemeinsame Lösungen bemühen).

3 Umzug und Wohnung

1 Wo sollen die Sachen denn hin?

1 Welche Wörter kennen Sie? Notieren Sie zu jedem Zimmer möglichst viele typische Möbel und Einrichtungsgegenstände. Notieren Sie auch die Artikel.

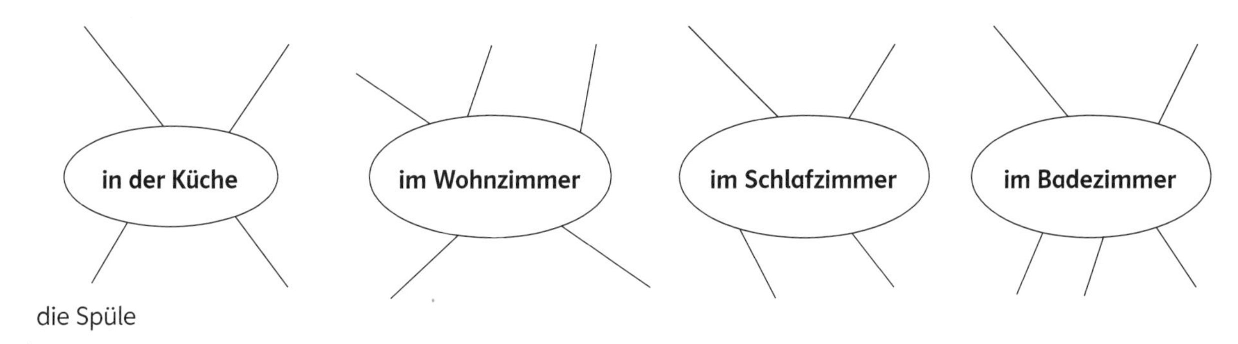

die Spüle

21 2 Welche Wohnung ist das? Hören Sie ein Gespräch zwischen Janos und Miriam und kreuzen Sie an.

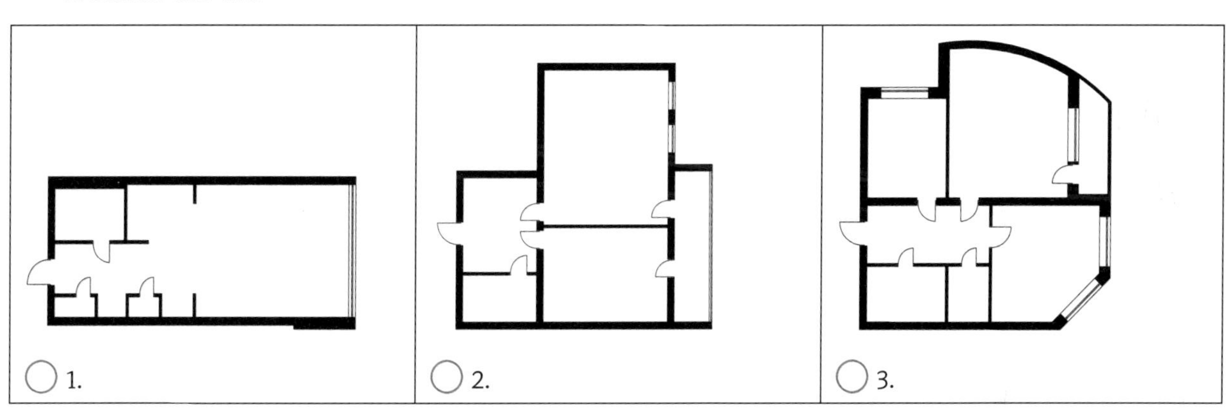

21 3 Hören Sie das Gespräch noch einmal. Richtig oder falsch? Kreuzen Sie an.

	richtig	falsch
1. In der Küche ist noch kein Kühlschrank.	◯	◯
2. Es gibt ein Badezimmer mit Dusche und Toilette.	◯	◯
3. Die Küche hat kein Fenster.	◯	◯
4. Im Schlafzimmer ist viel Licht.	◯	◯
5. Janos hat ein großes Wohnzimmer und einen Balkon.	◯	◯
6. Janos möchte keine Pflanzen auf dem Balkon.	◯	◯
7. Janos und Miriam glauben, dass der Umzug einfach wird.	◯	◯

4 Hören Sie einen Teil des Gesprächs noch einmal und ergänzen Sie.

● Wow, ist das groß. Und einen Balkon hast du! Wie schön! Der ist auch nicht gerade klein. Da kann man gut zu zweit drauf sitzen und noch ein paar Pflanzen (1) ______________ stellen.

○ Das habe ich auch gedacht. Ich werde Tomaten pflanzen, die kommen dann (2) ______________. Und Blumen hätte ich auch gerne, die stelle ich (3) ______________. Aber jetzt gehen wir erst mal wieder (4) ______________ und ich mache uns einen Kaffee.

● Gerne, den kann ich gut gebrauchen bei dem Berg Kartons, der da (5) ______________ auf uns wartet. Warum hast du bloß so viele Sachen?

5 Wo oder wohin? Ordnen Sie die Angaben in die Tabelle. Eine Angabe passt in beide Spalten.

[unten • oben • rauf • runter • hier • dorthin • weg • hierher • dort • da • (da)hin • raus • rein • draußen • drinnen • her]

Wo?	Wohin?

TIPP Achten Sie beim Sprechen darauf, ob Sie einen Ort angeben (*wo?*) oder eine Richtung (*wohin?*). Mit Verben wie *gehen, stellen, setzen* oder *legen* geben Sie beispielsweise eine Richtung an: *Ich gehe die Treppe runter. Lass uns die Kartons dahin stellen.* Mit den Verben *sitzen, liegen, stehen* geben Sie Orte an. *Die Kartons stehen unten.* Das Verb *hängen* ist ein Sonderfall. Mit den Formen *hängen - hängte - gehängt* gibt es eine Richtung an, mit den Formen *hängen - hing - gehangen* einen Ort: *Ich habe den Mantel in den Schrank gehängt. Der Mantel hat lange im Schrank gehangen.*

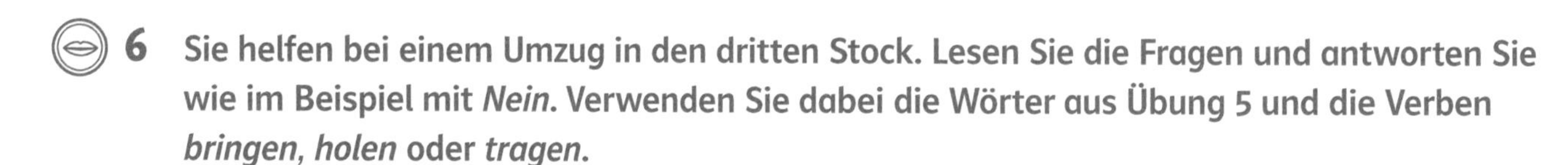

6 Sie helfen bei einem Umzug in den dritten Stock. Lesen Sie die Fragen und antworten Sie wie im Beispiel mit *Nein*. Verwenden Sie dabei die Wörter aus Übung 5 und die Verben *bringen, holen* oder *tragen*.

1. Sind die Kartons mit den Küchensachen schon oben?

   Nein, noch nicht. Ich trage sie gleich rauf.

2. Ist das Bett schon drinnen?
3. Ist der Müll schon unten?
4. Sind die Pflanzen schon draußen auf dem Balkon?
5. Ist die Schlafzimmerlampe schon da?
6. Ist der Wagen schon wieder beim Autoverleih?

23 **7 Hören Sie ein weiteres Gespräch zwischen Miriam und Janos. Was ist richtig? Kreuzen Sie an.**

- ◯ 1. Die beiden räumen Janos' alte Wohnung aus.
- ◯ 2. Sie haben noch den ganzen Umzug vor sich.
- ◯ 3. Zuletzt tragen sie zwei Kartons und eine Lampe.
- ◯ 4. Janos will den Wagen wegfahren.
- ◯ 5. Sie müssen noch das Bett aufbauen.
- ◯ 6. Miriam will Pizza bestellen.

23 **8 Hören Sie das Gespräch noch einmal. Wie sagt Janos das? Ergänzen Sie.**

○ Wo sollen die Sachen denn hin?

● Die (1) ________________ du ins Wohnzimmer stellen, (2) ________________ auf die linke Seite. Oder ... nein, doch nicht. Stell sie doch (3) ________________ auf die rechte Seite.

○ Wo sollen die Sachen hin?

● (4) ________________ sie uns ins Schlafzimmer stellen, am besten da hinten hin.

TIPP Informelle, aber freundliche Aufforderungen können Sie mit *können, lass uns ..., lieber* oder *am besten* formulieren. So klingen sie eher wie Vorschläge als wie Anweisungen.

23 **9 Hören Sie noch einmal. Lesen Sie dabei den Ausschnitt und markieren Sie alle Sätze, die im Passiv stehen.**

○ Muss jetzt noch was gemacht werden?

● Hm ... Der Wagen muss noch weggefahren werden. Wollen wir das zusammen machen, oder soll ich das machen und du ruhst dich hier ein bisschen aus?

○ Also, wenn es okay ist, würde ich hierbleiben. Ich räume mir das Sofa frei und schließe den Fernseher an, ja?

● Das kannst du gern machen. Dann habe ich nachher schon nicht mehr so viel zu tun.

○ Was muss denn sonst noch gemacht werden?

● Die Kartons müssen ausgepackt werden. Jedenfalls die, in denen die wichtigsten Sachen drin sind, zum Beispiel ein paar Küchensachen. Die meisten Badezimmersachen sind zum Glück schon ausgepackt. Die hatte ich in einer Tasche, und die habe ich gleich bereitgestellt.

○ Und das Bett muss noch zusammengebaut werden, damit du heute Nacht darin schlafen kannst.

● Ja, stimmt, das Bett ist noch nicht aufgebaut!

TIPP Denken Sie an den Unterschied zwischen dem Vorgangspassiv mit *werden* und dem Zustandspassiv mit *sein*: *Der Karton wird gerade ausgepackt.* (Das passiert jetzt in diesem Moment.) *Der Karton ist schon ausgepackt.* (Die Handlung ist abgeschlossen.) Mit dem Vorgangspassiv im Perfekt lassen sich ebenfalls abgeschlossene Handlungen ausdrücken: *Der Karton ist vorhin schon ausgepackt worden.* Denken Sie daran: Hier steht dann *worden* statt *geworden*.

24 **10 Sie helfen einer Freundin beim Umzug. Lesen Sie die Checkliste. Hören Sie die Fragen und antworten Sie. Verwenden Sie verschiedene Formen des Passivs, wie in den Beispielsätzen.**

1. Kartons nach Zimmern sortieren
2. Schrank aufbauen ✓
3. Waschmaschine rauftragen ✓
4. Waschmaschine anschließen
5. Bett aufbauen ✓
6. Küchensachen auspacken
7. Essen bestellen
8. Umzugswagen zurückbringen

1. Sag mal, sind die Kartons eigentlich schon nach Zimmern sortiert? — Nein, die müssen noch sortiert werden. / Nein, die sind noch nicht sortiert.

2. Hast du den Schrank schon aufgebaut, damit wir die Sachen da reintun können? — Ja, der ist vorhin schon aufgebaut worden. / Ja, der ist schon aufgebaut.

2 Und dann müssten Sie noch die Mieterselbstauskunft ausfüllen.

25

1 Lesen Sie die Zusammenfassungen. Hören Sie dann das dazu gehörende Gespräch. Welche Zusammenfassung passt? Kreuzen Sie an.

◯ 1. Frau Riveira besichtigt eine Wohnung im dritten Stock. Herr Novak von der Hausverwaltung zeigt ihr die Wohnung und beantwortet ihre Fragen. Frau Riveira fragt nach einem Aufzug, dem Fußboden, dem Straßenlärm und feuchten Wänden im Badezimmer. Am Ende nimmt sie die Wohnung.

◯ 2. Frau Riveira hat einen Termin mit dem Vermieter der Wohnung, Herrn Novak. Es ist eine Altbauwohnung im dritten Stock. Frau Riveira fragt nach dem Treppenhaus und möchte sich die Küche genauer ansehen. Am Ende möchte sie die Wohnung nicht mieten, weil die Straße zu laut ist.

◯ 3. Frau Riveira möchte eine Wohnung kaufen. Der vorherige Besitzer, Herr Novak, zeigt ihr die Wohnung. Sie liegt im Erdgeschoss und ist relativ neu. Frau Riveira fragt nach dem Fußboden, dem Straßenlärm und der Lüftung im Badezimmer. Am Ende nimmt sie die Wohnung.

25

2 Hören Sie das Gespräch noch einmal. Was ist richtig? Kreuzen Sie an.

1. In alten Häusern

◯ a) gibt es meistens Aufzüge.
◯ b) sind die Treppenhäuser meistens sehr schön.
◯ c) gibt es selten Aufzüge.

2. Der Fußboden

◯ a) in den Zimmern und im Flur ist neu.
◯ b) in der Küche und im Badezimmer ist neu.
◯ c) ist relativ alt.

3. Die Wohnung

◯ a) hat zwei Zimmer, ein Badezimmer und eine große Küche.
◯ b) ein Schlafzimmer, eine Küche und ein Bad.
◯ c) hat drei Zimmer, Küche und Bad.

4. Frau Riveira

◯ a) möchte das kleinste Zimmer als Schlafzimmer einrichten.
◯ b) würde das kleinste Zimmer als Arbeitszimmer nutzen, weil sie es beim Schlafen gern ruhig hat.
◯ c) würde beim Schlafen die Fenster schließen, sodass der Lärm nicht stört.

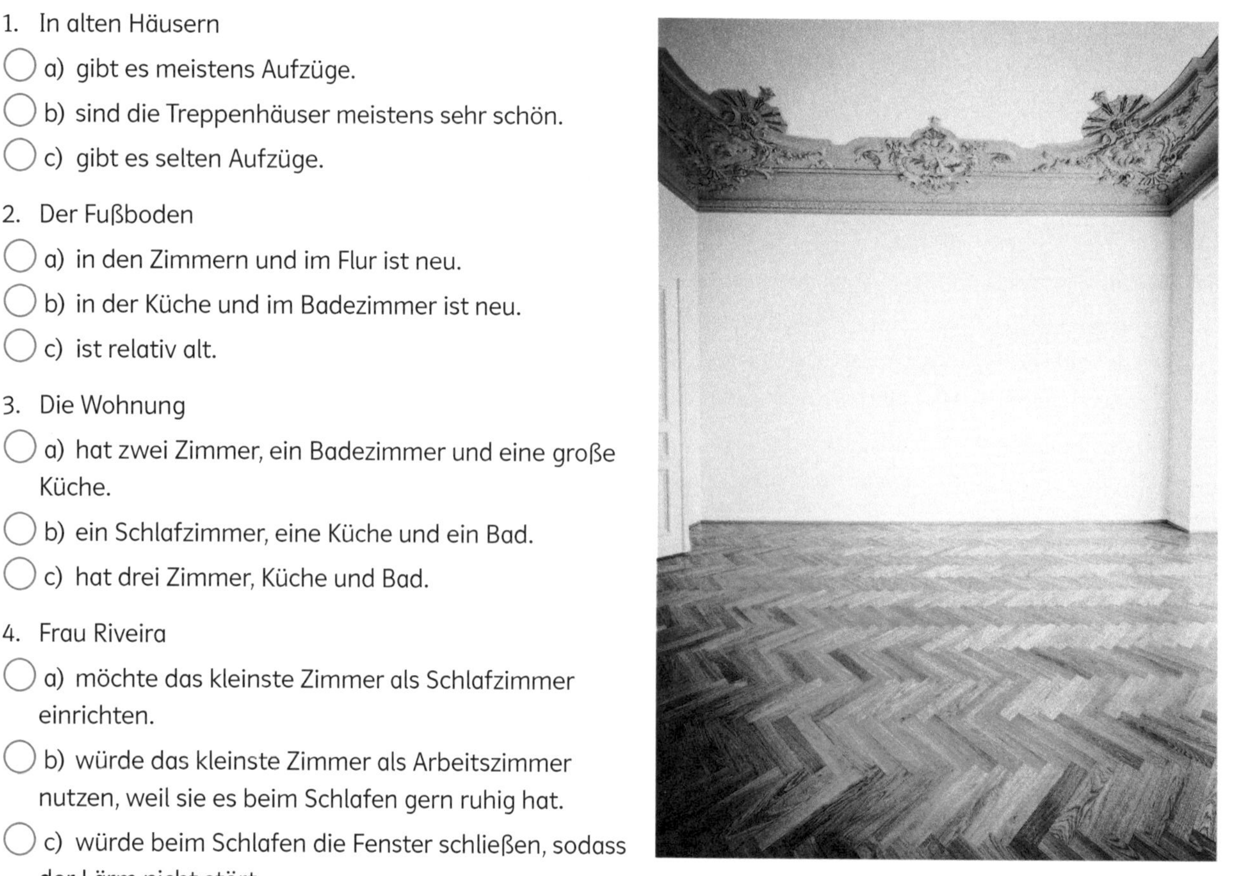

5. Das Badezimmer

◯ a) liegt an der Straßenseite.
◯ b) liegt innen und hat keine Fenster.
◯ c) hat keine Fenster und ist deshalb feucht.

3 Bei der Wohnungsbesichtigung

a Ordnen Sie den Fotos die Ausdrücke im Kasten zu.

dünne Wände / Decken, laute Nachbarn • ein kaputter Fußboden • eine sehr alte Heizung • feuchte Wände • ein kaputtes Schloss (vielleicht nach einem Einbruch) • eine kaputte Steckdose

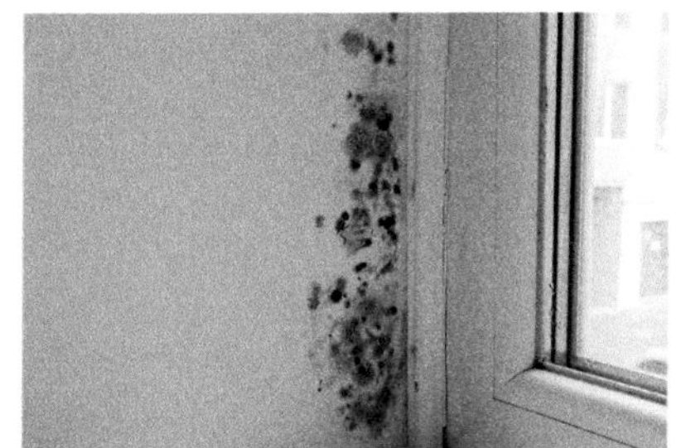

1. ______________________

2. ______________________

3. ______________________

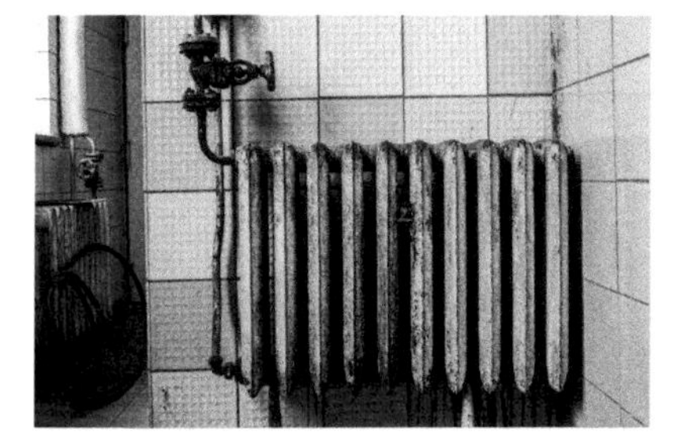

4. ______________________

5. ______________________

6. ______________________

b Sie besichtigen eine Wohnung und bemerken die Probleme auf den Fotos. Sprechen Sie diese Schwierigkeiten an. Beachten Sie dabei folgende Punkte:

1. Sagen Sie, was Sie bemerken.
2. Stellen Sie Fragen zu den Problemen.
3. Fragen Sie, was der Vermieter dagegen tut, bevor Sie einziehen.

1.
Sehen Sie mal, hier am Fenster ist ...
Die Heizung ist aber ziemlich ...
Leise ist es nicht gerade. Ich höre ...

2.
Gab es hier früher schon Probleme mit ...?
Wie alt ist ...?
Können Sie mir sagen, ...?

3.
Kommt da noch mal der Handwerker, bevor ...?
Lassen Sie vor dem Einzug noch ...?
Hier müsste auf jeden Fall ...

26 4 Hören Sie den zweiten Teil des Gesprächs zwischen Frau Riveira und Herrn Novak. Was ist richtig? Kreuzen Sie an.

- ◯ 1. Frau Riveira unterschreibt den Mietvertrag.
- ◯ 2. Frau Riveira zeigt Herrn Novak ihren Ausweis und füllt ein Formular aus.
- ◯ 3. Sie ist nicht verpflichtet, das Formular auszufüllen, aber der Vermieter kann sich für einen anderen Mieter entscheiden, wenn sie es nicht tut.
- ◯ 4. Den Schlüssel bekommt sie, wenn der Mietvertrag unterschrieben ist.
- ◯ 5. Die Papiere sind in drei Wochen fertig.

TIPP Als zukünftiger Mieter ist man nicht verpflichtet, eine Mieterselbstauskunft auszufüllen, aber häufig bewerben sich auf eine Wohnung mehrere Interessenten. Dann wählt der Vermieter normalerweise diejenigen, die seine Forderungen erfüllen. Sie können das Formular mit nach Hause nehmen und sich zum Beispiel von einem Verein für die Rechte von Mietern beraten lassen.

26 5 Hören Sie das Gespräch noch einmal. Welche Informationen soll Frau Riveira in der Mieterselbstauskunft über sich geben? Kreuzen Sie an.

- ◯ 1. ihr Gehalt
- ◯ 2. die Adresse ihres aktuellen Vermieters
- ◯ 3. ihre Kontonummer
- ◯ 4. ihren Beruf
- ◯ 5. ihre Ausbildung
- ◯ 6. ihren Arbeitsplatz
- ◯ 7. wo sie zur Schule gegangen ist
- ◯ 8. alte Schulden
- ◯ 9. Haustiere

27 6 Lesen Sie die Themen, zu denen Sie bei einer Wohnungsbesichtigung gefragt werden. Machen Sie sich Notizen. Hören Sie dann die Fragen und antworten Sie.

1. Beruf ______________________
2. Arbeitgeber ______________________
3. Einkommen ______________________
4. Schulden aus alten Mietverhältnissen ______________________
5. jetzige Anschrift ______________________
6. Haustiere ______________________

Von Beruf bin ich ...

Ich arbeite bei ...

Monatlich bekomme ich ... brutto.

Aus meinem letzten Mietverhältnis habe ich ...

Meine Adresse ist ...

Ich habe einen kleinen Hund / ...
Haustiere habe ich (nicht), ...

4 Unterwegs

1 An der nächsten Kreuzung links abbiegen

28 1 Ein Navi verstehen: Hören Sie und ordnen Sie die Buchstaben zu.

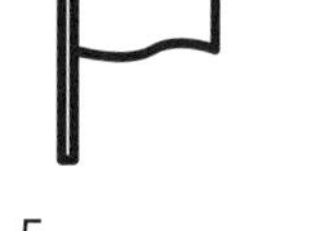

1. ____________ 2. ____________ 3. ____________ 4. ____________ 5. ____________

29 2 Was ist richtig? Hören Sie und kreuzen Sie an.

◯ 1. Das Auto fährt über eine Brücke.
◯ 2. Eine Brücke ist gesperrt.
◯ 3. Das Navi muss die Route neu berechnen.
◯ 4. Die Person muss umdrehen und einen anderen Weg nehmen.
◯ 5. Die Person kommt nicht am gewünschten Ziel an.

29 3 Das Auto startet an dem roten Punkt. Hören Sie noch einmal und zeichnen Sie den Weg ein. Wo will die Person hin?

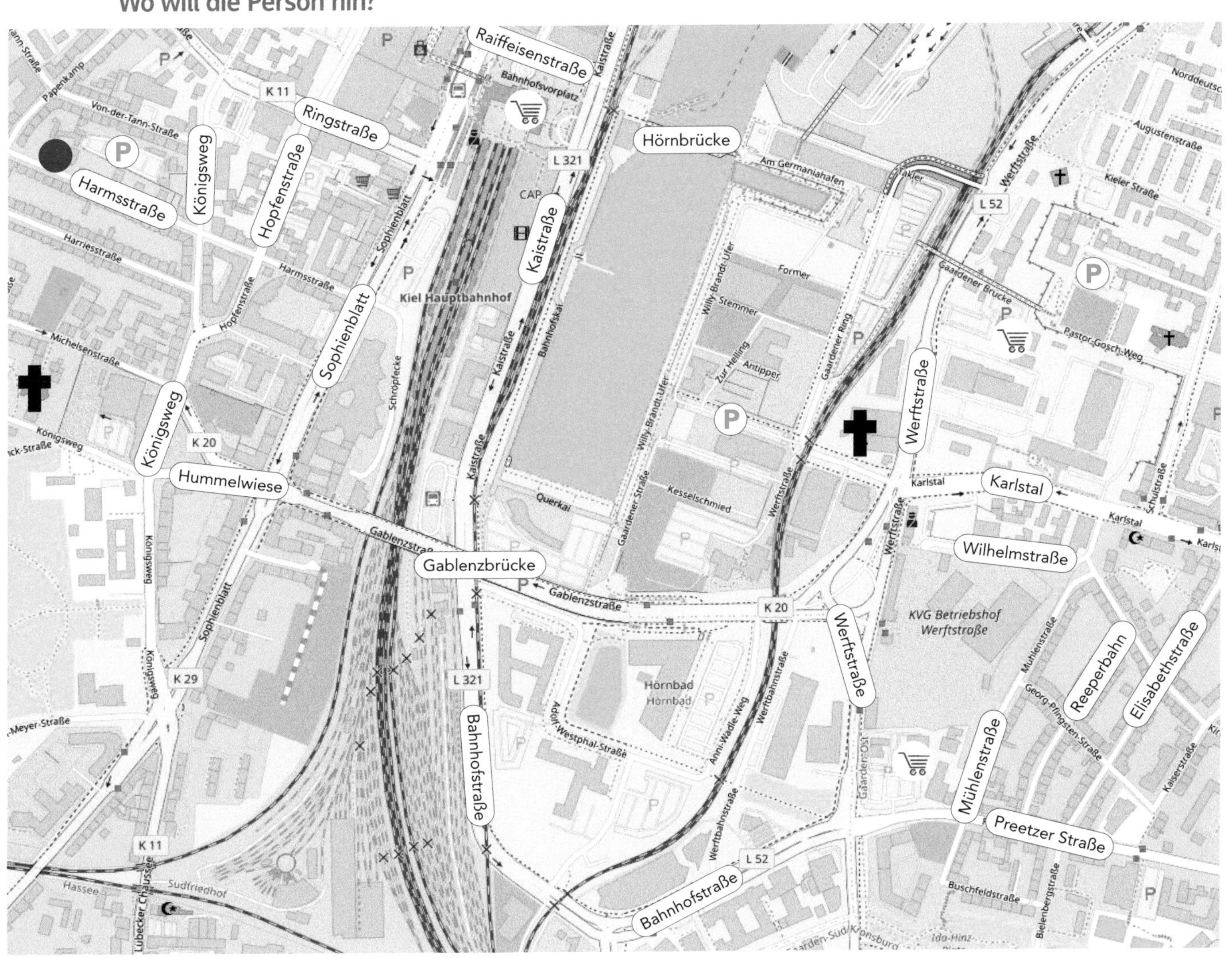

Die Person will ______________________________________.

4 Was sehen Britta und Kiri auf der Autofahrt? Kreuzen Sie an.

◯ 1. einen Stau
◯ 2. eine Brücke
◯ 3. einen Fluss
◯ 4. einen Kreisverkehr
◯ 5. eine Kreuzung
◯ 6. eine Ampel
◯ 7. das Rathaus
◯ 8. eine Tankstelle

5 Welche Person macht was? Hören Sie noch einmal und kreuzen Sie an.

	Britta	Kiri	
1.	◯	◯	fährt das Auto.
2.	◯	◯	glaubt, den Weg auch ohne Navi finden zu können.
3.	◯	◯	orientiert sich an der Sonne und den Himmelsrichtungen.
4.	◯	◯	sieht, dass die Ampel rot ist.
5.	◯	◯	sieht, dass die Ampel wieder grün ist.
6.	◯	◯	möchte tanken.
7.	◯	◯	hat die Uhrzeit im Blick.
8.	◯	◯	will im Auto warten und freut sich auf ein Eis.

6 Gesprochene Sprache: Wie sagen Britta und Kiri das? Hören Sie noch einmal und notieren Sie.

1. Das Navigationsgerät funktioniert nicht richtig. ____________________
2. Ich fühle es. Ich muss darüber nicht viel nachdenken. ____________________
3. Das habe ich doch gesagt. ____________________
4. Die Ampel steht auf Rot. ____________________
5. Wir müssen der Straße ein Stück folgen. ____________________
6. Dort müssen wir nach links fahren. ____________________
7. Die Ampel steht auf Gelb und springt gleich auf Grün. ____________________
8. Ich biege jetzt hier rechts in die Straße ab. ____________________

TIPP Wenn Sie eine Richtung angeben, müssen Sie die Verben *fahren* oder *gehen* in der Alltagssprache nicht sagen: *Hier müssen wir nach links.*

7 Was passt? Ordnen Sie zu.

Rechts vor Links • Wohngebiet • Vorfahrt achten • Einbahnstraße

1. Dieses Schild heißt ____________________. Die anderen dürfen zuerst fahren.
2. Dieses Schild heißt ____________________. Man darf nur in eine Richtung fahren.
3. Das ist ein ____________________. Hier gibt es fast keine Läden und Büros, aber Häuser, Spielplätze und Kindergärten.
4. An einer Kreuzung ohne Schilder gilt die Regel ____________________.

8 Was ist richtig? Kreuzen Sie an.

	richtig	falsch
1. Kiri hat Angst, sich im Wohngebiet zu verfahren.	○	○
2. Britta hat die Einbahnstraße nicht gesehen.	○	○
3. Britta bremst, weil sie sonst nicht sehen kann, ob von rechts ein Fahrzeug kommt.	○	○
4. Kiri hat das Fahrrad nicht gesehen.	○	○
5. Vor der Hauptstraße steht das Schild „Vorfahrt achten".	○	○
6. Britta weiß auf einmal, wo sie hinfahren müssen.	○	○

9 Noch mehr gesprochene Sprache: Wie sagen Britta und Kiri das? Hören Sie noch einmal und notieren Sie.

1. Achtung, da kommt ein Auto! ____________________
2. Jetzt kommt kein Auto oder Fahrrad mehr. ____________________
3. Wohin müssen wir jetzt fahren? ____________________
4. Du musst die Hauptstraße überqueren. ____________________

10 Sie fahren bei einem Freund im Auto mit. Lesen Sie die Notizen. Hören Sie dann und beantworten Sie die Fragen. Die Ausdrücke aus Aufgabe 6 und 9 helfen Ihnen.

- Sie sagen Ihrem Freund, dass er die Kreuzung überqueren muss.

- Von rechts kommt ein Radfahrer.
- Er fährt vorbei, dann ist die Straße frei.

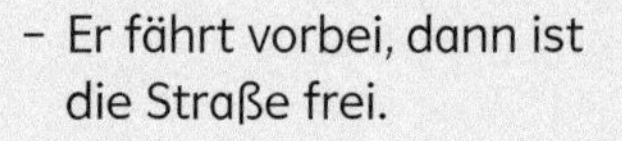

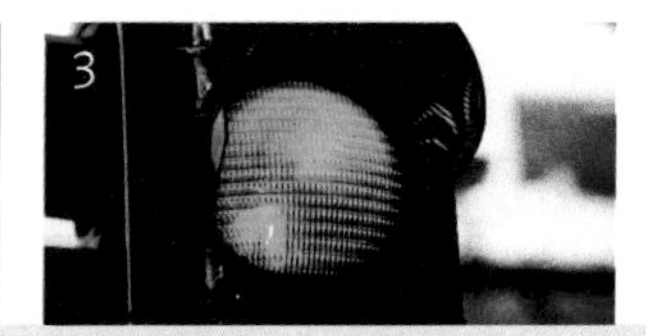

- Ihr Freund stellt das Navi ein. Sie bemerken, dass die Ampel grün geworden ist.
- Sie glauben, dass ihr Freund links in die Straße hineinfahren muss.

- Ihr Freund möchte ans Handy gehen. Sie sehen, dass die Ampel vor Ihnen rot wird.

2 Die Abfahrt unseres Zuges verzögert sich um einige Minuten.

33 1 Hören Sie einige Durchsagen. Wo ist das? Ordnen Sie die Buchstaben A-E zu.

1. am Bahnhof ______
2. im Zug ______
3. im Flugzeug ______
4. am Flughafen ______
5. in einer U-Bahnstation ______

33 2 Was ist richtig? Kreuzen Sie an.

1. Durchsage A: Wenn man nach Marrakesch fliegen möchte, soll man zu ◯ Gate H ◯ Gate F gehen.
2. Durchsage B: Man darf ◯ nicht ◯ nur in den Zonen rauchen, die auf dem Boden aufgemalt sind.
3. Durchsage C: ◯ Zwei ◯ Drei U-Bahn-Linien haben Verspätung, weil die Polizei auf der Strecke gerade im Dienst ist. Vielleicht gab es einen Unfall.
4. Durchsage D: Der Pilot begrüßt die Fluggäste auf dem Flug nach ◯ Singapur ◯ Malaysia.
5. Durchsage E: Der Zug muss kurz warten, weil ein ◯ Regionalzug ◯ ICE vorbeifährt.

3 Wie war das genau?

a Welche Wörter haben eine ähnliche Bedeutung? Ordnen Sie zu und ergänzen Sie, wo nötig, die Artikel.

1. ________ Fahr- oder Fluggast — ____ a) ________ Verzögerung
2. ________ Verspätung — ____ b) ________ Passagier
3. erlaubt — ____ c) ________ Einsatz
4. ________ Dienst — ____ d) gestattet

b 33 Hören Sie noch einmal und ergänzen Sie die passenden Wörter.

1. ____________________ für den Flug MA11-16 nach Marrakesch bitte zu Gate F.
2. Hinweis! Das Rauchen am Bahnhof ist nur in den markierten Bereichen ____________________.
3. Wegen eines Polizeieinsatzes im Bereich Wöhrder Wiese kommt es zu ____________________ im Fahrbetrieb der U-Bahn-Linien U2 und U3.
4. Der Kapitän und die Crew wünschen Ihnen einen ____________________ Flug.
5. Sehr geehrte Fahrgäste, unsere Weiterfahrt ____________________ sich leider um einige Minuten.

4 Ordnen Sie zu und ergänzen Sie den Artikel, wo nötig.

[Gepäck • Gleis 3 Abschnitt D • Halteverbot • Kennzeichen]

1. ____________ 2. ____________ 3. ____________ 4. ____________

TIPP Ausdrücke wie *Gleis 3 Abschnitt D* sind eine Ortsbezeichnung und stehen ohne Artikel.

34 5 Am Bahnhof: Hören Sie und ordnen Sie die Buchstaben A-D zu.

1. Die Wagen des Zuges sind anders sortiert als normalerweise. Durchsage ________
2. Man soll immer auf seine Koffer und Taschen aufpassen. Durchsage ________
3. Ein Zug hat Verspätung, weil ein Gleis kaputt ist. Durchsage ________
4. Jemand hat sein Auto falsch geparkt und soll es wegfahren. Durchsage ________

34 6 Wie war das genau?

a Hören Sie noch einmal und ergänzen Sie die Wörter.

Der (1) ____________ des Wagens mit dem Kennzeichen ERB KK 911 wird aufgefordert, sein (2) ____________ sofort aus dem Halteverbot vor dem Bahnhofsgebäude zu entfernen.

Beachten Sie bitte die (3) ____________ Wagenreihung: Die Wagen der zweiten Klasse befinden sich heute in den (4) ____________ A bis C, die Wagen der ersten (5) ____________ in den Abschnitten E bis F. In Abschnitt D hält der Waggon mit unserem (6) ____________.

Der ICE 6210 nach München Hauptbahnhof fährt heute leider 45 Minuten später. Grund dafür ist ein (7) ____________ am Gleis. Wir bitten, die Verzögerung zu entschuldigen.

Hinweis! Lassen Sie Ihr Gepäck nicht (8) ____________.

34 7 Sie müssen einer anderen Person, die nicht gut Deutsch spricht, die Durchsagen erklären. Hören Sie Track 34 noch einmal. Stoppen Sie die Aufnahme nach jeder Durchsage und erklären Sie den Inhalt. Die Zusammenfassungen in Aufgabe 5 und die Satzanfänge helfen Ihnen.

Sie sagt, dass man ... soll, weil ...

Sie sagt, dass der Zug ...

8 Im Zug: Welche Durchsage passt? Hören Sie und ergänzen Sie die Buchstaben A-E. Zwei Texte passen nicht. Ergänzen Sie hier ein X.

1. Der Zug muss ein paar Minuten im Bahnhof warten. Auf der Strecke hinter dem Bahnhof steht noch ein anderer Zug. _____
2. Der Zug muss anhalten, weil Pferde auf die Gleise gelaufen sind. _____
3. Der Zug kommt in ein paar Minuten in Lübeck an. Alle Leute sollen aussteigen. Wenn Sie mit einem anderen Zug weiterfahren möchten, finden Sie am Bahnhof Informationen dazu. _____
4. Der Zug hält normalerweise in Frankfurt Hauptbahnhof, heute aber nicht. Wenn man nach Frankfurt Hauptbahnhof möchte, soll man an der Messe aussteigen und die U-Bahn nehmen. _____
5. Im vorderen Teil des Zuges ist es sehr voll. Die Fahrgäste sollen nach hinten durchgehen. _____
6. Der Zug hat einen vorderen und einen hinteren Teil. Diese fahren zu unterschiedlichen Zielen: nach Bamberg und nach Bayreuth. An der Tür steht, wohin der Wagen fährt, in dem man sitzt. _____
7. Der Zug kommt 10 Minuten zu spät in Leipzig an. Der Zug nach Halle ist schon weg. Wenn man nach Halle fahren möchte, muss man am Bahnhof nachsehen, welchen Zug man nehmen kann. _____

9 Was stimmt da nicht? Hören Sie noch einmal, unterstreichen Sie die Fehler und korrigieren Sie diese.

Dieser Zug hält heute nicht in Frankfurt Hauptbahnhof. Grund dafür ist ein Unfall. Wir bitten, dies zu entschuldigen. Fahrgäste nach Frankfurt Hauptbahnhof steigen bitte im Bahnhof Frankfurt Messe aus. Hier haben Sie Anschluss an die U-Bahn Linie 6 nach Frankfurt Hauptbahnhof.

In Kürze erreichen wir unseren Ziel- und Endbahnhof Lübeck Hauptbahnhof. Dieser Zug endet hier. Alle Fahrgäste bitte einsteigen. Es besteht Anschluss an den Fern- sowie den Nahverkehr. Achten Sie bitte auch auf die Durchsagen und Anzeigen am Hauptbahnhof.

Sehr geehrte Damen und Herren, wir erreichen Leipzig Hauptbahnhof mit einer Verspätung von 30 Minuten. In Leipzig erreichen Sie noch den ICE 6210 Richtung Hamburg Hauptbahnhof auf Gleis 9 und den RE Richtung Dresden Hauptbahnhof auf Gleis 12. Der RE Richtung Rostock konnte leider nicht warten.

Die Abfahrt unseres Zuges verlängert sich um einige Minuten, weil der vor uns liegende Streckenabschnitt noch nicht fertig ist.

Herzlich Willkommen im Regionalexpress RE 1321. Bitte beachten Sie: Der Zug wird in Weiden gereinigt. Der vordere Zugteil fährt weiter nach Bayreuth, der hintere Zugteil nach Bamberg. In welchem Zugteil Sie sitzen, entnehmen Sie bitte den Durchsagen an der jeweiligen Wagentür.

1. eine Baustelle
2. ____________
3. ____________
4. ____________
5. ____________
6. ____________
7. ____________
8. ____________
9. ____________
10. ____________
11. ____________

TIPP In den Durchsagen der Bahn heißt es manchmal *in Frankfurt Hauptbahnhof.* In der Alltagssprache ist das nicht richtig. Da sagt man: *Der Zug hält heute nicht am Frankfurter Hauptbahnhof.* oder: *Der Zug hält heute nicht in Frankfurt am Hauptbahnhof.*

10 Sie müssen einer anderen Person, die nicht gut Deutsch spricht, die Durchsagen erklären. Hören Sie Track 35 noch einmal. Stoppen Sie die Aufnahme nach jeder Durchsage und erklären Sie den Inhalt. Die Zusammenfassungen in Aufgabe 8 helfen Ihnen.

5 Konsum

1 Das Beste daran ist, dass es so praktisch ist.

1 Hören Sie den Beginn eines Radiofeatures. Was ist richtig? Kreuzen Sie an.

1. Wie lautet das Thema des Features?
   - ◯ a) Vor- und Nachteile von elektrischen und elektronischen Geräten
   - ◯ b) Vor- und Nachteile von Smartphones
   - ◯ c) Vor und Nachteile von Smart Homes
2. Was sind Smart Homes?
   - ◯ a) Häuser, in denen man viele Geräte online bedienen kann.
   - ◯ b) Häuser, in denen es eine Fernbedienung oder ein Smartphone gibt.
   - ◯ c) Häuser, in denen man jedes elektrische Gerät ganz genau einstellen kann.

2 Hören Sie noch einmal. Welche Person macht was? Verbinden Sie.

1. Nazanin Amiri ____ a) arbeitet im Bereich Datenschutz und Datensicherheit und wird über die Gefahren von Smart Homes sprechen.
2. Julian Heidegger ____ b) arbeitet für den Radiosender und führt das Interview.
3. Melanie Reimann ____ c) lebt in einem Smart Home und wird von den positiven Seiten dieser neuen Art zu wohnen erzählen.

3 Technik im Haus

a Welche Wörter kennen Sie? Ordnen Sie die Wörter im Kasten zu. (Ein Wort passt an zwei Stellen.) Notieren Sie dann noch mehr Wörter.

[speichern • ein Laptop • spielen • ein Smartphone • sammeln • schützen • etwas bedienen • hacken • etwas einschalten • im Internet surfen • die Lautstärke regeln]

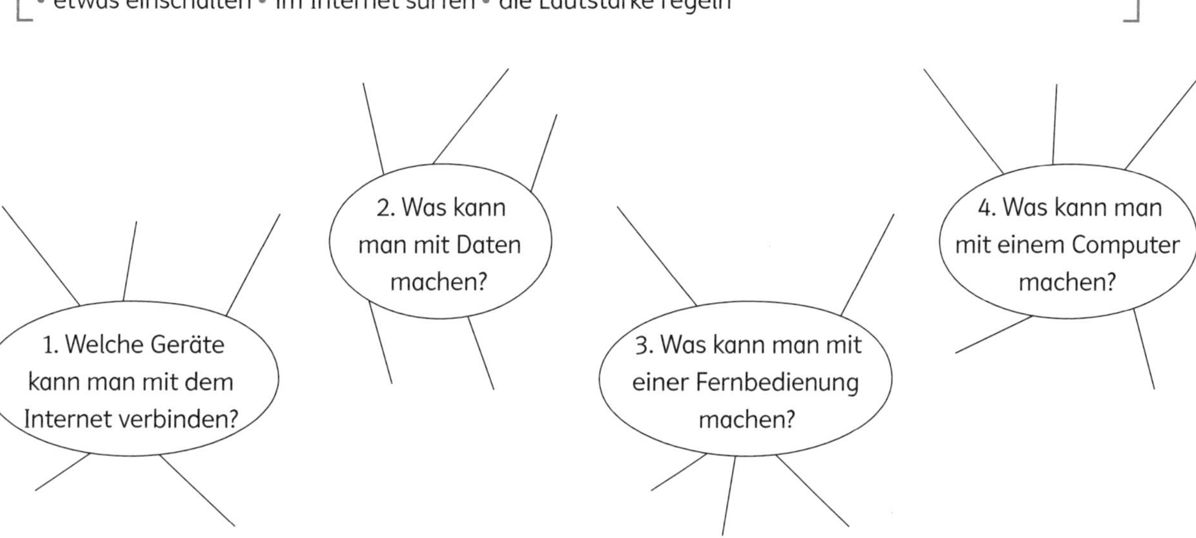

b **Welche elektronischen Geräte nutzen Sie zu Hause? Wie sind sie verbunden? Erzählen Sie. Verwenden Sie auch Ausdrücke aus Übung a.**

Ich habe zu Hause ein … . Das ist mit dem … verbunden.
Ich verwende oft mein … .
Zu Hause habe ich viele … . Die sind (nicht) miteinander verbunden, weil …

37

4 Hören Sie das Interview mit Julian. Welche Vorteile eines Smart Homes nennt er? Kreuzen Sie an.

◯ 1. Es ist praktisch.
◯ 2. Handwerker können online sehen, was kaputt ist.
◯ 3. Man muss sich nicht mehr bewegen.
◯ 4. Man kann Strom sparen.
◯ 5. Es ist sicherer.

37

5 Hören Sie das Interview noch einmal. Welches Gerät ist das? Ergänzen Sie. Notieren Sie auch den Artikel.

1. ________ ____________________ putzt selbstständig die Wohnung.
2. ________ ____________________ weiß, wann der Kuchen fertig ist.
3. ________ ____________________ kann Julian auf dem Weg nach Hause höherstellen.
4. ________ ____________________ kann Julian mit seiner Stimme bedienen.
5. ________ ____________________ lassen sich sehr einfach ausschalten.
6. Die Heizung geht aus, wenn Julian ________ ____________________ öffnet.
7. Die Aufnahmen ________ ____________________ kann Julian auf seinem Smartphone live sehen.

37

6 Hören Sie das Interview noch einmal und ergänzen Sie.

1. ○ Herr Heidegger, erzählen Sie uns doch mal, welche Vorteile so ein Smart Home für Sie hat.
   ● Also, ________ ____________ ____________ ____________, dass es so praktisch ist.
2. ○ Was für Vorteile gibt es noch, außer dass ein Smart Home praktisch ist?
   ● Ein ____________ ____________ ____________ ____________, dass man mit intelligenten Geräten Strom sparen kann.
3. ○ Man hört aber auch oft, dass manche sich aus Gründen der Sicherheit für ein Smart Home entscheiden. Stimmt das?
   ● Ja, auf jeden Fall. Ein ____________ ____________ eines Smart Homes ____________ ____________ ____________, dass man es sehr sicher gestalten kann.

7 Wählen Sie ein Gerät, dass Sie oft und gerne benutzen. Nennen Sie drei Vorteile. Verwenden Sie dabei die Ausdrücke aus Übung 6.

8 Hören Sie das Interview mit Melanie Reimann. Welche Aussagen sind richtig? Kreuzen Sie an.

38

- ◯ 1. Wenn Geräte online sind, entstehen Daten, die man nicht kontrollieren kann.
- ◯ 2. Unterschiedliche technische Standards der verschiedenen Geräte sind ein Problem.
- ◯ 3. Wenn die Daten auf ausländischen Computern liegen, sind sie nicht durch das deutsche Datenschutzgesetz geschützt.
- ◯ 4. Es besteht die Gefahr, dass die Daten verkauft werden.
- ◯ 5. Man braucht viel technisches Wissen, um auf Störungen reagieren zu können.
- ◯ 6. Hacker können einzelne Geräte hacken und dann das System kontrollieren.

9 Hören Sie das Interview noch einmal. Ergänzen Sie.

38

1. ● Sie sehen Smart Homes eher kritisch, habe ich recht? Welche Nachteile können diese denn haben?

   ○ Eine ganz ______________ ______________ besteht ______________, dass wir keine Kontrolle über die Daten haben, die da von uns gesammelt werden können.

2. ● Aber die meisten Systeme sind doch relativ sicher, oder?

   ○ Das ______________ ______________: Sie wissen nicht, auf was für Computern Ihre Daten gespeichert werden.

3. Viele Käufer wollen ihr Zuhause mit smarten Geräten sicherer machen und verbinden alle möglichen Geräte miteinander. Der ______________ ______________ ______________, dass jedes dieser Geräte gehackt werden kann und das ganze System, also Ihr ganzes Zuhause, dann nicht mehr gut geschützt ist.

10 Lesen Sie die Vor- und Nachteile der Produkte auf den Bildern. Beschreiben Sie diese dann. Verwenden Sie Ausdrücke aus Übung 6 und 9.

1. Tablets / eReader

- \+ Man kann leicht viele Bücher mitnehmen.
- \+ Man kann Bücher herunterladen. Diese brauchen weniger Platz als echte Bücher.
- – Man kann alte Bücher nicht tauschen oder verschenken.
- – Es geht leichter kaputt als Bücher.

2. Soziale Netzwerke

- \+ Man kann leichter Kontakt halten.
- \+ Man lernt Leute kennen, die ähnliche Interessen haben.
- – Man verbringt viel Zeit online.
- – Viele Unternehmen verkaufen die Daten.

3. Schrittzähler

- \+ Man weiß, wie weit man gegangen ist.
- \+ Man bewegt sich mehr.
- – Schrittzähler können zum Stressfaktor werden.
- – Man weiß nicht, was mit den Daten passiert.

2 Kann ich Ihnen helfen?

1 Hören Sie den Beginn eines Verkaufsgesprächs. Welche Eigenschaften soll die Jacke haben, die die Kundin sucht? Kreuzen Sie an.

○ 1. wasserdicht ○ 2. warm ○ 3. für den Alltag geeignet
○ 4. winddicht ○ 5. besonders leicht ○ 6. atmungsaktiv

2 Hören Sie noch einmal. Ergänzen Sie.

○ Was für eine Jacke soll es denn sein?

● Ich (1) ________________________ eine Jacke, (2) ____________________ ich durch den Regen gehen kann, ohne nass zu werden.

○ Eine Regenjacke?

● Nein, keine richtige Regenjacke. Ich (3) ______________ eine Jacke, (4) ____________ ich ganz normal im Alltag tragen kann.

TIPP Wenn man Wünsche genauer beschreibt, verwendet man häufig Relativsätze.

3 Lesen Sie die Beschreibungen. Erklären Sie den Verkäuferinnen und Verkäufern dann, was Sie suchen. Verwenden Sie Ausdrücke aus Übung 2.

1. ein Fahrrad
Man kann damit im Gebirge fahren.

2. ein Kleid
Man kann es auf einer indischen Hochzeit tragen.

3. Hustensaft
Er enthält keinen Alkohol und ist für Kinder geeignet.

4. ein Auto
Es ist angenehm leise.

5. ein Haus
Es liegt direkt am Meer.

6. Blumen
Man kann sie im Frühling nach draußen pflanzen.

4 Wortschatz Jacke: Was passt? Ordnen Sie zu. Notieren Sie auch die Artikel.

[Naht • Reißverschluss • Kapuze • Knopf • Ärmel]

1. ______________________
2. ______________________
3 ______________________
4. ______________________
5. ______________________

5 Hören Sie das Verkaufsgespräch weiter. Was ist richtig? Kreuzen Sie an.

40

1. Die erste Jacke gefällt der Kundin ○ a) nicht. ○ b) gut.
2. Die erste Jacke ○ a) ist der Kundin zu teuer. ○ b) hat keine gute Qualität.
3. Bei der zweiten Jacke gefällt der Kundin ○ a) die Farbe nicht. ○ b) das Material nicht.
4. Die Kundin entscheidet sich am Ende für ○ a) die erste Jacke. ○ b) die zweite Jacke.

6 Hören Sie noch einmal. Markieren Sie, was falsch ist, und korrigieren Sie die Sätze.

40

1. Das Material der ersten Jacke fühlt sich unangenehm an. ______________________
2. Die Nähte sind nicht wasserdicht. ______________________
3. Die Kapuze ist abnehmbar. ______________________
4. Die Ärmel sind so einstellbar, dass man sie länger und kürzer machen kann. ______________________
5. Die erste Jacke kostet 840€. ______________________
6. Die zweite Jacke ist blau. ______________________
7. Die Kundin hat Größe L. ______________________
8. Die Qualität der beiden Jacken ist absolut vergleichbar. ______________________
9. Bei der zweiten Jacke ist die Temperatur nicht über den vorderen Reißverschluss regelbar.
   ____
10. Der Verkäufer geht ins Lager, um die Jacke in einer anderen Größe zu holen.
    ____

7 Lesen Sie die Sätze 3, 4, 8 und 9 in Aufgabe 6 noch einmal. Wie kann man das anders sagen? Ergänzen Sie.

1. Die Kapuze kann abgenommen werden.

   Die Kapuze ist ______________________.
2. Die Ärmel können eingestellt werden.

   Die Ärmel sind ______________________.
3. Die Qualität kann verglichen werden.

   Die Qualität ist ______________________.
4. Die Temperatur kann geregelt werden.

   Die Temperatur ist ______________________.

TIPP Adjektive mit *-bar* nennt man auch Passiversatzformen, weil man sie anstelle einer Passivkonstruktion verwenden kann. Achtung: Nicht alle Verben sind mit *-bar* kombinierbar. Sehen Sie immer auch im Wörterbuch nach.

8 Lesen Sie die Informationen. Hören Sie die Fragen der Verkäuferin, antworten Sie und stellen Sie selbst Fragen.

41 **a Sie möchten einen Rucksack kaufen.**

1. Sie hätten gern einen Rucksack. Sie möchten damit wandern gehen, aber der Rucksack soll nicht zu groß sein, wenn er leer ist. — Ich hätte gern ..., mit dem ... und der ...
2. Der erste Rucksack, den die Verkäuferin zeigt, ist Ihnen zu groß. — Der ist mir ein bisschen zu ...
3. Der zweite Rucksack gefällt Ihnen besser. Sie fragen, ob man das Kopfteil abnehmen kann. — Der ... Ist das Kopfteil ...?
4. Sie fragen, ob man den Rücken einstellen kann. — Und wie ist das mit dem Rücken? Ist der ...?
5. Sie möchten keinen weiteren Rucksack probieren. Sie fragen, was der zweite Rucksack kostet. — Nein, danke. Was kostet ...?
6. Sie nehmen den zweiten Rucksack. — Das ist in Ordnung. Ich glaube, dann nehme ich ...

42 **b Sie möchten Wanderschuhe kaufen.**

1. Sie suchen bequeme Wanderschuhe, die Sie im Gebirge und im Alltag tragen können. — Ich suche ..., die ich ...
2. Sie sagen Ihre Schuhgröße. — Größe ...
3. Die ersten Schuhe, die die Verkäuferin Ihnen zeigt, finden Sie nicht schön. Sie fragen, ob es noch andere gibt. — Ich weiß nicht, die ... Haben Sie ...?
4. Die zweiten Schuhe gefallen Ihnen. Sie fragen, ob sie wasserdicht sind. — Die ... Sind die ...?
5. Sie möchten sie anprobieren. Die Schuhe sind zu klein. — Ja, gern. Oh, ich glaube, die sind ...
6. Sie möchten die Farbe, die Sie gerade anprobiert haben. — Gerne in der Farbe, die ...

3 Das würde ich gerne umtauschen.

43 1 Hören Sie drei Dialoge. Welcher Dialog passt - 1, 2 oder 3? Notieren Sie die Zahlen.

1. Jemand möchte ein Buch zurückgeben. Dialog Nr. _____
2. Jemand möchte einen Rasierapparat umtauschen. Dialog Nr. _____
3. Jemand möchte eine Uhr zurückgeben. Dialog Nr. _____
4. Der Umtausch ist nicht erfolgreich. Dialog Nr. _____
5. Die Person bekommt ihr Geld zurück. Dialog Nr. _____
6. Die Person bekommt einen Gutschein. Dialog Nr. _____

TIPP *Umtauschen* bedeutet, dass man ein Produkt zurückbringt und ein anderes dafür bekommt. *Zurückgeben* bedeutet, dass man ein Produkt zurückbringt und sein Geld zurückbekommt. Oft werden die Begriffe aber nicht so genau voneinander getrennt.

44 2 Hören Sie den ersten Dialog noch einmal. Was ist richtig? Kreuzen Sie an.

1. Der Mann möchte den Rasierapparat umtauschen, weil er
   ◯ a) kaputt ist. ◯ b) ihm nicht gefällt.
2. Die Verkäuferin tauscht das Gerät nicht um, weil der Mann
   ◯ a) das Gerät ◯ b) den Beleg nicht dabeihat.
3. Am Ende
   ◯ a) hat der Mann Verständnis. ◯ b) ärgert sich der Mann.

45 3 Hören Sie den zweiten Dialog noch einmal. Was ist richtig? Kreuzen Sie an.

1. Die Kundin möchte das Buch zurückgeben, weil
   ◯ a) sie es schon hat. ◯ b) sie es ihrer Tochter schenken wollte und die es schon hat.
2. Die Verkäuferin
   ◯ a) will ihr das Geld nicht zurückgeben. ◯ b) darf ihr das Geld nicht zurückgeben.
3. Den Gutschein
   ◯ a) muss die Kundin gleich verwenden. ◯ b) kann die Kundin ein Jahr lang verwenden.
4. Die Kundin
   ◯ a) ist eigentlich nicht einverstanden, ärgert sich aber auch nicht sehr. ◯ b) ist sehr wütend.

46 4 Hören Sie den dritten Dialog noch einmal. Was ist richtig? Kreuzen Sie an.

1. Die Frau möchte die Uhr zurückgeben, weil
   ◯ a) ihr Mann schon eine Uhr bekommt. ◯ b) ihre Schwester ihr eine Uhr geschenkt hat.
2. Die Verkäuferin fragt, ob die Kundin
   ◯ a) sich etwas anderes aussuchen möchte. ◯ b) ihr Geld zurück möchte.
3. Die Kundin
   ◯ a) hat den Beleg und bekommt ihr Geld zurück. ◯ b) bekommt ihr Geld auch ohne Beleg.

5 Lesen Sie die Informationen. Hören Sie dann, was die Verkäufer sagen, und versuchen Sie, die Gegenstände umzutauschen oder zurückzugeben.

47 **a Turnschuhe umtauschen: Sprechen Sie.**

1. Sie möchten ein Paar Schuhe umtauschen, das Sie vorgestern gekauft haben. — Ich habe vorgestern ... und die würde ich gern ...
2. Die Schuhe sind zu klein, und Sie hätten sie gern eine Nummer größer. — Sie sind mir zu ... und ich ...
3. Sie haben die Schuhe nicht auf der Straße getragen, sondern nur in der Wohnung. — Nein, auf der Straße ...
4. Sie haben den Beleg dabei. — Ja, ...

48 **b Ein Kabel zurückgeben: Sprechen Sie.**

1. Sie möchten ein Kabel zurückgeben, das Sie am Montag gekauft haben. — Ich habe am Montag ... und das würde ich gern ...
2. Das Kabel passt nicht zu dem Anschluss an Ihrem Gerät. — Das Problem ist, dass es nicht ...
3. Sie haben den Beleg dabei. — Ja, natürlich, ...
4. Sie möchten kein neues Kabel, sondern Ihr Geld zurück. — Danke, ich möchte ...

49 **c Eine Tasche zurückgeben: Sprechen Sie.**

TIPP In einigen Geschäften sprechen die Verkäufer die Kunden mit *du* an. Häufig ist das nicht die Entscheidung des Verkäufers, sondern eine Anweisung der Unternehmensführung. Damit soll das Bild eines jungen, modernen Unternehmens vermittelt werden.

1. Sie möchten eine Tasche zurückgeben, die Sie vor einem Monat gekauft haben. — Diese Tasche hier habe ich ...
2. Die Nähte der Tasche sind nicht gut. Die Tasche ist an mehreren Stellen kaputt. — Die Nähte sind ... Sehen Sie mal, hier und da ...
3. Sie haben den Beleg nicht mehr. — Den habe ich leider ...
4. Sie fragen, ob es keine andere Möglichkeit gibt. Sie haben die Tasche in dem Geschäft gekauft, und nun ist sie kaputt. — Gibt es da denn keine ... Ich habe die Tasche ganz sicher ...

50 6 Beim Bezahlen: Lesen Sie die häufigsten Fragen. Hören Sie und notieren Sie die Reihenfolge.

TIPP An der Supermarktkasse wird man beim Bezahlen häufig etwas gefragt. Weil die Mitarbeiterinnen und Mitarbeiter an der Kasse diese Fragen viele Male am Tag stellen müssen, sprechen sie oft schnell und undeutlich.

_____ a) Sie werden gefragt, ob Sie die Treuepunkte der Supermarktkette sammeln.

_____ b) Sie werden gefragt, ob Sie eine Kundenkarte von dem Supermarkt haben.

_____ c) Sie werden gefragt, ob Sie eine Quittung haben möchten.

_____ d) Bei der Kartenzahlung sollen Sie Ihre Geheimzahl eingeben und mit der grünen Taste bestätigen.

6 Freizeit und Verabredungen

1 Hättest du vielleicht auch nächste Woche Zeit?

51

1 Wie sagt man das am Telefon? Kreuzen Sie an. Hören Sie dann und überprüfen Sie Ihre Vermutungen.

1. Sie rufen jemanden an und möchten sagen, wer Sie sind.

◯ a) Hallo, ich bin Dennis. ◯ b) Hallo, hier ist Dennis.

2. Sie sprechen auf Ihre Mailbox oder Ihren Anrufbeantworter und wollen sagen, dass Sie gerade nicht ans Telefon gehen können.

◯ a) Ich bin (leider) gerade nicht erreichbar. ◯ b) Sie können mich (leider) nicht anrufen.

3. Sie sprechen auf eine Mailbox und wollen sagen, dass Sie später noch einmal anrufen, um den anderen persönlich zu erreichen.

◯ a) Ich werde dich erneut anrufen. ◯ b) Ich versuche es später noch mal.

TIPP Lernen Sie Standardausdrücke beim Telefonieren auswendig. Möglicherweise sagt man in Ihrer Muttersprache *Hallo, ich bin Dennis.* Auf Deutsch sagt man dagegen immer *Hier ist Dennis.*

51

2 Hören Sie noch einmal. Was schlägt Dennis vor? Kreuzen Sie an.

Dennis schlägt vor, ...

◯ 1. dass Eylem Dennis' Kinder abholt und mit in den Zoo nimmt.

◯ 2. am Mittwochmorgen zu fahren.

◯ 3. mit der U-Bahn zu fahren.

◯ 4 im Zoo ein Picknick zu machen.

◯ 5. dass Eylem ihm auf die Mailbox spricht.

TIPP Man unterscheidet zwischen einem Anrufbeantworter (einem Gerät wie im Bild) und einer Mailbox (einer Funktion eines Handys oder Smartphones).

51

3 Hören Sie noch einmal. Wie formuliert Dennis die Vorschläge? Ergänzen Sie.

1. ________ ________ ________ ________, zusammen mit den Kindern in den Zoo zu gehen?
2. ________ ________ Mittwochmorgen hinfahren, da ist es nicht so voll wie am Wochenende.
3. ________ ________ ________ mit der Straßenbahn fahren?
4. ________ ________ ________ ________, wenn wir etwas mitnehmen und dann einfach im Zoo eine Pause mit Picknick machen?
5. ________ ________ ________ heute Abend noch mal telefonieren.

TIPP Mit den Ausdrücken in Übung 3 kann man Vorschläge formulieren. Lernen Sie sie auswendig und verwenden Sie sie genau so. Beachten Sie: *"Können wir ...?"* steht nicht am Anfang eines Vorschlags, sondern einer Bitte.

52 4 Hören Sie. Was ist richtig? Kreuzen Sie an.

◯ 1. Lotte macht Vorschläge, was Eylem und sie in den nächsten Wochen zusammen machen können.

◯ 2. Lotte reagiert auf Vorschläge, die Eylem ihr auf die Mailbox gesprochen hat, hat aber selbst eigene Ideen.

52 5 Hören Sie noch einmal. Was ist richtig? Kreuzen Sie an.

1. Lotte wollte Eylem am Morgen
   ◯ a) wecken.
   ◯ b) nicht stören.
2. Eylem wollte Lotte am Samstag
   ◯ a) zum Fußball mitnehmen.
   ◯ b) zum Schwimmen mitnehmen.
3. Lotte passen Samstage immer
   ◯ a) sehr gut.
   ◯ b) nicht so gut.
4. Lotte
   ◯ a) kann am nächsten Tag nicht mit Eylem zum Friseur, weil sie arbeiten muss.
   ◯ b) geht am nächsten Tag mit Eylem zum Friseur.
5. Lotte ist zwischen 18.00 und 20.30 Uhr
   ◯ a) erreichbar.
   ◯ b) nicht erreichbar.

52 6 Hören Sie noch einmal. Wie formuliert Lotte ihre Gegenvorschläge? Ergänzen Sie.

1. Ehrlich gesagt interessiere ich mich nicht so besonders für Fußball. Vielleicht ________________ ________________ zusammen schwimmen gehen?
2. Das Spiel ist bestimmt am Samstag, oder? ________________ ________________ ________________ ________________ am Sonntag was machen?
3. Und dann hattest du noch vorgeschlagen, morgen zusammen zum Friseur zu gehen, aber da kann ich leider nicht. Da hab ich Spätdienst, und morgens ist es bei dir ja meistens schlecht wegen der Kinder. ________________ ________________ ________________ ________________ nächste Woche Zeit?

TIPP In der mündlichen Kommunikation verwendet man manchmal das Plusquamperfekt, um von der Vergangenheit noch einen Schritt zurückzugehen. Vergleichen Sie:
1. Jetzt ruft Lotte Eylem an und spricht auf den AB: *Sorry, dass ich mich so spät melde.* (Präsens)
2. Vorher hat Lotte die Nachricht von Eylem angehört: *Ich habe meine Mailbox abgehört.* (Perfekt)
3. Noch davor hat Lotte Eylem bei Lotte angerufen und einen Vorschlag gemacht. Darauf bezieht sich Lotte in ihrer Nachricht: *Du hattest vorgeschlagen, morgen zusammen zum Friseur zu gehen.* (Plusquamperfekt)

7 Weitere Formulierungen: Wie kann man Gegenvorschläge noch formulieren? Ergänzen Sie *auch* oder *lieber*.

1. Ins Fußballstadion? Ich weiß nicht. Lass uns doch ________________ ins Schwimmbad gehen.
2. Ins Fußballstadion? Können wir. Aber wir könnten ________________ ins Schwimmbad gehen.
3. Hm ... Hättest du vielleicht ________________ Lust, ins Schwimmbad zu gehen?

TIPP Mit *auch* und *lieber* kann man aus Vorschlägen Gegenvorschläge machen.

8 Vorschläge annehmen und ablehnen: Ordnen Sie die Ausdrücke in die Tabelle.

Ich finde, das klingt gut. • Das ist eine tolle Idee. • Hm, ich weiß nicht. • Da kann ich leider nicht. • Da hätte ich total Lust drauf. • Ehrlich gesagt, finde ich das nicht so interessant/praktisch/gut.

1. einen Vorschlag annehmen	2. einen Vorschlag ablehnen
______________________	______________________
______________________	______________________
______________________	______________________

9 Übernehmen Sie die Rolle von Eylem. Sprechen Sie Dennis und Lotte auf den Anrufbeantworter. Beachten Sie dabei die Punkte unten und verwenden Sie für Vorschläge und Gegenvorschläge die Redemittel aus den Aufgaben 3, 6, 7 und 8.

1. für den Anruf bei Dennis:

- Begrüßen Sie Dennis und sagen Sie, wer Sie sind.
- Entschuldigen Sie sich, dass Sie sich erst so spät melden. Sie sind gerade erst vom Kindergarten nach Hause gekommen.
- Sie und Ihr Sohn Emre kommen gern mit in den Zoo. Emre freut sich auch auf das Elefantenbaby.
- Mittwoch passt Ihnen nicht so gut, weil Sie da mit einer Freundin verabredet sind. Sie schlagen den Donnerstag vor.
- Den Vorschlag, mit der Straßenbahn zu fahren, finden Sie gut.
- Den Vorschlag, ein Picknick im Zoo zu machen, finden Sie etwas unpraktisch, weil Sie die ganzen Sachen mitnehmen müssten. Sie würden lieber ins Restaurant gehen.
- Sie sind heute nicht mehr erreichbar und schlagen vor, am nächsten Tag noch einmal zu telefonieren. Sie verabschieden sich.

2. für den Anruf bei Lotte:

- Begrüßen Sie Lotte und sagen Sie, wer Sie sind.
- Sagen Sie, dass Sie ihr auf die Mailbox sprechen, weil sie gleich wieder weg sind.
- Sie haben am Sonntag Zeit. Anstatt ins Schwimmbad oder in den Park zu gehen, schlagen Sie aber vor, an den See zu fahren.
- Sie fragen, ob Lotte Lust hat, mit dem Fahrrad zu fahren.
- Sie sind einverstanden, den Friseurtermin auf die nächste Woche zu verschieben. Sie schlagen den Montag vor.
- Sie schlagen vor, am nächsten Tag noch einmal persönlich zu telefonieren, und verabschieden sich.

2 Feierabend!

1 Wie steigert man die Formen von *gerne*? Ordnen Sie zu.

am aller- • viel • am alleraller- • sehr • wahnsinnig • sehr viel • unheimlich • mit Abstand am • wesentlich

1. gerne	2. lieber	3. liebsten
___	___	___
___	___	___
___	___	___

53 2 Hören Sie ein Telefongespräch im Bus. Was ist richtig? Kreuzen Sie an. Manchmal gibt es mehrere Lösungen.

1. Der Angerufene
   - ◯ a) kommt von der Arbeit.
   - ◯ b) fährt zur Arbeit.
2. Die beiden sprechen darüber,
   - ◯ a) was sie am Bahnhof machen.
   - ◯ b) wo sie ein Bier trinken gehen.
3. In dem Gespräch geht es um
   - ◯ a) das beste Bier
   - ◯ b) Lautstärke
   - ◯ c) Gemütlichkeit
   - ◯ d) guten Kaffee
   - ◯ e) eine gute Erreichbarkeit zu Fuß

53 3 Was sagt die andere Person? Lesen Sie die Sätze. Hören Sie dann das Telefonat noch einmal und nummerieren Sie.

_____ a) Ich weiß nicht. Die Wunderbar ... Da fühle ich mich nicht so wohl.

_____ b) Hey du! Hast du auch schon Feierabend?

_____ c) Da ist es so hell und kalt, und der Raum ist so groß, das mag ich nicht so gerne. Ich gehe viel lieber in dunkle, gemütliche kleine Kneipen.

_____ d) Sag mal, hättest du Lust, heute Abend ein Bierchen zu trinken?

_____ e) In der kleinen Kneipe hinterm Bahnhof?

_____ f) In der Innenstadt ... Da fällt mir das Café Fatal ein.

_____ g) Das gefällt dir bestimmt. Dann lass uns doch in einer Stunde am Bahnhof treffen, und dann gehen wir zusammen hin, okay?

_____ h) Nein, nein, das heißt nur so. Die haben von morgens bis abends um 11 Uhr auf. Morgens ist es eher wie ein Café und abends eine ganz normale, gemütliche Kneipe. Aber die spielen keine Musik, und darum ist es nicht so laut. Kennst du das gar nicht?

53 4 Hören und lesen Sie das Gespräch noch einmal und ergänzen Sie die richtige Form.

- [...] Die ist total gemütlich und nett, aber da ist es (1) ____________ oft zu laut. [...] (2) ____________ wäre es lieber, wenn wir vielleicht irgendwo hingehen, wo es leiser ist. Vielleicht in die Wunderbar?
- ○ Ich weiß nicht. In die Wunderbar ... Da fühle ich (3) ____________ nicht so wohl.
- Was? Warum fühlst du (4) ____________ da nicht wohl?
- ○ Da ist es so hell und kalt, und der Raum ist so groß, das mag (5) ________ nicht so gerne. (6) ________ gehe viel lieber in dunkle, gemütliche kleine Kneipen.
- Hm ... Gemütlich also und nicht so laut ... Und (7) ________ würde am allerliebsten irgendwo hingehen, von wo aus wir später leicht zu Fuß nach Hause kommen. [...]
- Ein Café? Ich dachte, du wolltest Bier trinken. Kaffee ist abends nicht so (8) ____________. [...]
- ○ Das gefällt (9) ____________ bestimmt. Dann lass uns doch. [...]

TIPP Achten Sie bei den Ausdrücken auf die Grammatik: *zu laut sein, lieber sein* und *gefallen* stehen mit dem Nominativ und dem Dativ: *Es ist mir zu laut. Das Café gefällt dir. Ist es dir lieber, wenn ...?* Mit dem Nominativ und dem Akkusativ dagegen stehen *mögen* und *sich wohlfühlen: Ich fühle mich wohl. Das mag ich nicht so gerne.* Außerdem: Die Verben *mögen* und *lieben* verwendet man im Deutschen selten mit Verben. Benutzen Sie lieber *gerne/lieber/am liebsten.* Der Ausdruck *Das ist nicht so meins.* ist eine feste Wendung, die man nicht verändern kann.

5 Lesen Sie die Notizen. Hören Sie dann die Fragen eines Freundes und einer Freundin am Telefon. Antworten Sie. Die Ausdrücke aus Übung 4 helfen Ihnen.

54 **a**

1. Tennis ist Ihnen nach der Arbeit zu anstrengend.
2. Sie sind auch gegen Golf. Auf dem Golfplatz fühlen Sie sich nicht so wohl.
3. Sie würden gern in den Park gehen und dort einen Kaffee trinken.
4. Sie sind einverstanden mit dem Vorschlag.

55 **b**

1. Sie gehen gerne mit in die Bibliothek. Sie haben noch Bücher, die Sie zurückgeben müssen.
2. Das Café finden Sie nicht so gemütlich. Dort ist Ihnen zu voll und zu laut. Sie würden lieber ins Café Hundertwasser gehen.
3. Sie glauben, dass Ihrer Freundin das Café Hundertwasser gefällt. Es ist modern und gemütlich, und es gibt wunderbaren Apfelkuchen.
4. 17:30 passt Ihnen gut.

6 Sie hören jetzt ein Gespräch. Welche Zusammenfassung passt? Kreuzen Sie an.

56

◯ 1. Nadine interessiert sich für Sport. Stefan erzählt vom Taekwondo-Training und lädt sie ein, mitzukommen. Sie lässt sich von ihm überzeugen.

◯ 2. Stefan möchte unbedingt, dass Nadine Taekwondo macht. Sie findet den Sport aber nicht interessant.

7 Hören Sie das Gespräch noch einmal. Was ist richtig? Kreuzen Sie an.

56

◯ 1. Nadine hat Feierabend und ist froh, dass sie endlich sitzen kann.

◯ 2. Nadine fragt Stefan, ob er laufen geht oder im Fitnessstudio trainiert.

◯ 3. Stefan erzählt, dass er Taekwondo macht.

◯ 4. Stefan sagt, dass man im Training keine Rücksicht aufeinander nehmen muss.

◯ 5. Stefan lädt Nadine zum Probetraining ein.

◯ 6. Nadine hat keine Lust.

8 Hören Sie das Gespräch noch einmal und ergänzen Sie die Ausdrücke.

56

1. Ich habe etwas gesucht, was nicht langweilig ist. ________ ________ ________ bei einer Sportart ________, dass man nicht nur den Körper trainiert, sondern auch mit dem Kopf dabei ist.
2. Ist das nicht gefährlich? Ich würde denken, man verletzt sich leicht.
Das ________ ________ ________ ________, wie und mit wem du trainierst.
3. Hm ... ________ ________ bei einem Sport ________ ________, ist, dass ich mit netten Leuten zusammen trainiere.

TIPP In der gesprochenen Sprache wird aus *habe* oft *hab*. In informellen E-Mails und SMS kann man diese Form auch verwenden. Normalerweise benutzt man beim Schreiben aber die lange Form *habe*.

9 Was ist Ihnen wichtig, wenn Sie Sport machen? Wählen Sie einige Punkte und erzählen Sie. Die Ausdrücke aus Übung 8 helfen Ihnen.

- Man trifft nette Leute.
- Es tut gut, sich mal richtig anzustrengen.
- Es macht Spaß.
- Man wird davon fit.
- Es gibt eine Frauengruppe.
- Es ist nicht langweilig.
- Man lernt etwas, was man im richtigen Leben gebrauchen kann.
- Man lernt, sich zu verteidigen.
- Es ist nicht zu anstrengend.
- Man kann diesen Sport im Sommer und im Winter machen.

7 Kultur und Medien

1 Worum geht es in dem Buch?

57 **1 Hören Sie und ordnen Sie die Sprecher zu.**

Roman Perkovic • Kerstin Fischer • Antonia Hofreiter

1. ______________________ 2. ______________________ 3. ______________________

TIPP Die vorgestellten Bücher gibt es auch in einfacher Sprache (meistens Niveau A2-B1, für Menschen, die Deutsch lernen oder normalerweise nicht viel lesen). So macht das Lesen auch Spaß, wenn Ihnen normale Bücher noch zu schwierig sind.

58 59 60 **2 Lesen Sie die Zusammenfassungen und Beschreibungen. Ordnen Sie den Zahlen die Groß- und Kleinbuchstaben zu. Hören Sie und vergleichen Sie.**

1. _____ _____ Krabat
2. _____ _____ Till Eulenspiegel
3. _____ _____ Frau Holle

A
In diesem Buch geht es um ein Mädchen, das durch einen Brunnen in eine andere Welt fällt. Dort trifft es Frau Holle.

B
Das Buch spielt um 1700 in der Lausitz. Es geht um einen Jungen, der in einer Mühle arbeitet und zaubern lernt.

C
Das Buch handelt von einem Mann, der als Künstler auftritt und dem Publikum Tricks zeigt. Manche davon sind lustig, andere böse.

a) mal lustig, mal böse

b) kraftvoll und pädagogisch wertvoll

c) spannend und unheimlich

3 Welche Satzanfänge kann man für eine Buchvorstellung verwenden? Kreuzen Sie an.

◯ 1. Das Buch ist über ...
◯ 2. In dem Buch geht es um ...
◯ 3. Das Buch handelt von ...
◯ 4. Das Buch spricht von ...
◯ 5. Das Buch spielt um ... in ...

58 4 Hören Sie noch einmal. Was ist richtig? Kreuzen Sie an.

1. Die Hauptfigur in Roman Perkovic' Lieblingsbuch ist
   - ◯ a) Otfried Preußler.
   - ◯ b) der 14jährige Krabat.
2. Die Zauberei
   - ◯ a) ist gut und immer hilfreich.
   - ◯ b) hat dunkle Seiten und macht Krabat Angst.
3. In der Mühle leben und arbeiten
   - ◯ a) zwölf junge Männer und der Meister.
   - ◯ b) viele schwarze Vögel.
4. Roman Perkovic möchte das Ende nicht verraten
   - ◯ a) weil es ein bisschen langweilig ist.
   - ◯ b) damit das Buch spannend bleibt für alle, die es noch lesen möchten.
5. Roman Perkovic hat das Buch gelesen,
   - ◯ a) als er 14 war und später noch einmal als Erwachsener.
   - ◯ b) wenn er als Kind nicht schlafen konnte.
6. Ihm gefällt, dass das Buch
   - ◯ a) voller Fantasie, Zauber und Spannung ist.
   - ◯ b) für Kinder und Jugendliche geeignet ist.

ein Zauberer

die Mühle

TIPP Aus dem Wort *zaubern* lassen sich viele verwandte Wörter bilden: *der Zauberer, die Zauberei, der Zaubertrick, zauberhaft, verzaubert, ...* Suchen Sie zu neuen Wörtern verwandte Begriffe und lernen Sie so gleich ganze Wortfelder.

59 5 Hören Sie noch einmal. Kreuzen Sie dann an.

	richtig	falsch
1. Das Buch ist eine Sammlung verschiedener Geschichten.	◯	◯
2. Die Hauptfigur Till Eulenspiegel ist Zauberer und zeigt Zaubertricks.	◯	◯
3. Die Tricks bringen Kerstin Fischer zum Nachdenken, weil sie kritisch und nicht leicht zu verstehen sind.	◯	◯
4. Till Eulenspiegel ist eine historische Figur.	◯	◯
5. Der letzte Roman mit Till Eulenspiegel als Hauptfigur wurde um 1300 veröffentlicht.	◯	◯

TIPP Die Zeitangabe *um 1300* bedeutet, dass man das Jahr nicht ganz genau angibt, sondern einen ungefähren Zeitraum, zum Beispiel zwischen 1290 und 1310. Genaue Jahreszahlen gibt man ohne Präposition an: *Till Eulenspiegel war 1307 in Braunschweig.* Beachten Sie: *In 1300* ist nicht richtig.

6 Lesen Sie und hören Sie noch einmal. Was ist richtig? Kreuzen Sie an.

1. Das Märchen "Frau Holle"
   - ◯ a) handelt von einem Mädchen, das Schnee machen kann.
   - ◯ b) handelt von einem Mädchen, das von seiner Stiefmutter schlecht behandelt wird.
2. Als dem Mädchen etwas in den Brunnen fällt,
   - ◯ a) muss es hinterherspringen.
   - ◯ b) springt die Stiefmutter hinterher.
3. Am Ende vom Brunnen
   - ◯ a) ist kaltes Wasser.
   - ◯ b) ist eine grüne Wiese.
4. Als Erstes hilft das Mädchen
   - ◯ a) einem Brot, das in einem Backofen liegt.
   - ◯ b) einem Backofen.
5. Als Zweites trifft das Mädchen einen Apfelbaum und
   - ◯ a) isst ein paar rote Äpfel.
   - ◯ b) schüttelt ihn, weil die Äpfel schon rot sind und zu schwer werden.
6. Als das Mädchen Frau Holle trifft,
   - ◯ a) freut es sich sofort.
   - ◯ b) fürchtet es sich erst, lässt sich dann aber von Frau Holle beruhigen.
7. Antonia Hofreiter
   - ◯ a) wollte als Kind so sein wie das Mädchen.
   - ◯ b) wollte als Kind so sein wie Frau Holle.

der Brunnen

7 Stellen Sie Ihr Lieblingsbuch vor. Beantworten Sie dabei die Fragen. Die Satzanfänge in den Sprechblasen helfen Ihnen.

Wie ist der Titel und von wem ist das Buch? — Das Buch heißt ... und ist von ... .

Wo und wann spielt es? — Es spielt im Jahr / um ... in ... .

Wer ist die Hauptfigur? — Die Hauptfigur ist ... .

Worum geht es? — Es geht um ... .

Warum ist es Ihr Lieblingsbuch? Was mögen Sie an dem Buch? — Das Buch ist sehr lustig/berührend/spannend ... . — Mir gefällt ... . — Ich mag das Buch, weil ... .

2 Heute kommt im Zweiten ein Krimi.

1 Hören Sie. Welches Fernsehprogramm passt? Kreuzen Sie an.

◯ a)

Das Erste	ZDF	BR	Sat.1	RTL	ProSieben	Arte
20:00	20:15	20:15	20:15	20:15	20:15	20:15
Tagesschau	**Rundum gesund**	**Tiere des Meeres**	**Big Brother**	**Deutschland sucht den Superstar**	**The Big Bang Theory**	**Kleidung made in India**
Nachrichten	Gesundheits-magazin	Doku	Realityshow	Show	Serie	Doku

◯ b)

Das Erste	ZDF	BR	Sat.1	RTL	ProSieben	Arte
20:15	20:15	20:15	20:15	20:15	20:15	20:15
Tiere des Meeres	**Allein gegen die Polizei**	**Rundum gesund**	**Big Brother**	**Deutschland sucht den Superstar**	**The Big Bang Theory**	**Kleidung made in India**
Doku	Krimi	Gesundheits-magazin	Realityshow	Show	Serie	Doku

◯ c)

Das Erste	ZDF	BR	Sat.1	RTL	ProSieben	Arte
20:15	20:15	20:15	20:15	20:15	20:15	20:15
Tiere des Meeres	**Allein gegen die Polizei**	**Rundum gesund**	**The Big Bang Theory**	**Deutschland sucht den Superstar**	**Big Brother**	**Bollywood – Filme made in India**
Spielfilm	Doku	Gesundheits-magazin	Serie	Show	Realityshow	Doku

2 Hören Sie noch einmal und ergänzen Sie die Sätze.

● Sag mal, weißt du, was heute Abend im Fernsehen (1) ____________________?

○ Nee, keine Ahnung. Warte, ich guck mal kurz. Also ... Um 20 Uhr die (2) ____________________. Und dann ... Ah hier. Also, (3) ____________ Ersten kommt eine Doku (4) ____________ Meerestiere. Im (5) ____________________ ein Krimi. Auf Sat.1 Big Brother.

● Oh Gott, bloß nicht so eine dumme Show.

○ Nee, da habe ich auch keine Lust drauf. Dann ist RTL auch nichts für uns ... Auf Pro7 kommt The Big Bang Theorie in der (6) ____________________.

● Aber das ist eine (7) ____________________. Es ist ein bisschen blöd, wenn man nur eine (8) ____________________ sieht.

○ Ja, finde ich auch. Auf Arte kommt eine (9) ____________________ über Kleidungsproduktion in Indien ...

● Und im (10) ____________________?

○ „Rundum gesund", ein Gesundheitsmagazin. Das kenne ich auch nicht.

● Kommt denn nicht irgendwo ein normaler (11) ____________________?

TIPP Der Sender *Das Erste* gehört zur ARD-Gruppe und wird manchmal auch als *ARD* bezeichnet. Außerdem gibt es das Zweite Deutsche Fernsehen (*ZDF* oder kurz: *Das Zweite*) und die dritten Programme. Sie sind regional unterschiedlich. In Norddeutschland gibt es zum Beispiel den NDR (Norddeutscher Rundfunk) und in Bayern den BR (Bayerischer Rundfunk). Mit diesen Sendern verwendet man die Präposition *in*: *Im Ersten, im Zweiten.* Mit anderen Fernseh- und Radiosendern ebenso wie mit Streaming-Diensten verwendet man die Präposition *auf.*

3 Lesen Sie das folgende Fernsehprogramm. Beantworten Sie dann die Fragen. Verwenden Sie dabei Ausdrücke aus Aufgabe 2.

Das Erste	ZDF	NDR	Sat.1	RTL	ProSieben	Arte
20:15	20:15	20:15	20:15	20:15	20:15	20:15
Praxis mit Meerblick	**Die Anwältin**	**Bei uns zu Hause**	**Das große Kochen**	**Let's Dance**	**Germany's next Top Model**	**Mata Hari – Exotik und Erotik**
Arztserie	Krimiserie	Heimatfilm	Koch-Show	Show	Castingshow	Doku

1. Was kommt heute im Fernsehen?
   - Um 20:15 Uhr kommt im Ersten/Zweiten.... .
2. Welche dieser Sendungen möchten Sie sehen? Oder möchten Sie lieber online etwas suchen?
   - Auf ... kommt ... .
   - Ich würde gern ... sehen, weil ... .
   - Ich würde lieber online fernsehen, weil ... .
3. Sehen Sie online fern? Welche Sendungen sehen Sie auf welchen Streaming-Diensten?
   - Ich sehe oft ... auf ... und ... .

TIPP Wenn Sie auf Deutsch erste Filme sehen möchten, versuchen Sie es mit einem einfachen Krimi. Die Sprache ist oft nicht schwer, und die Geschichte kann man häufig auch verstehen, wenn nicht jedes Wort bekannt ist.

4 Krimis verstehen: Wörter. Ordnen Sie die passenden Fragen zu.

1. der Tatort _____ a) Wann hat das Verbrechen stattgefunden?
2. der Fundort _____ b) Wer ist der Verbrecher?
3. der Tatzeitpunkt _____ c) Wo hat das Verbrechen stattgefunden?
4. der Täter _____ d) Wer hat den Schaden?
5. das Opfer _____ e) Wo wurde eine Person oder ein Gegenstand gefunden?

5 Lesen Sie die verschiedenen Notizzettel eines Polizisten. Hören Sie dann den Ausschnitt aus einem Krimi. Welcher Notizzettel passt? Kreuzen Sie an.

A

Tatzeitpunkt: vor Mitternacht des 5.2.
Tatort: Kettelbacher Str. 35, 1. OG links
Blutspuren im Eingangsbereich, Opfer im Wohnzimmer gefunden, Opfer wurde bewegt.
Hinweise auf Drogenkonsum und Drogenhandel
Täter aus der Drogenszene?
Opfer und Täter bekannt?
(keine Einbruchsspuren)

B

Tatort: Kettelbacher Str. 35
Tatzeitpunkt: unbekannt
Opfer: Sandro Keller, 32
Fundort: Wohnzimmer
Tatort??? Blutspuren
(→ Spurensicherung abwarten)
tödliche Verletzungen, wahrscheinlich durch Messer;
keine Einbruchsspuren,
Opfer und Täter bekannt?
Zeugenaussage: Streit mit Nachbarn

C

Tatort: Kettelbacher Straße 35, Wohnung 1. OG links
Tatzeitpunkt: 1:00 bis 4:00 (???)
Opfer: männlich
Opfer = Mieter??? (Sandro Keller), 32 Jahre alt
gefunden im Wohnzimmer
Blutspuren → Fundort = Tatort???
(Spurensicherung abwarten)
keine Einbruchsspuren,
Opfer und Täter bekannt?

A ◯ B ◯  C ◯

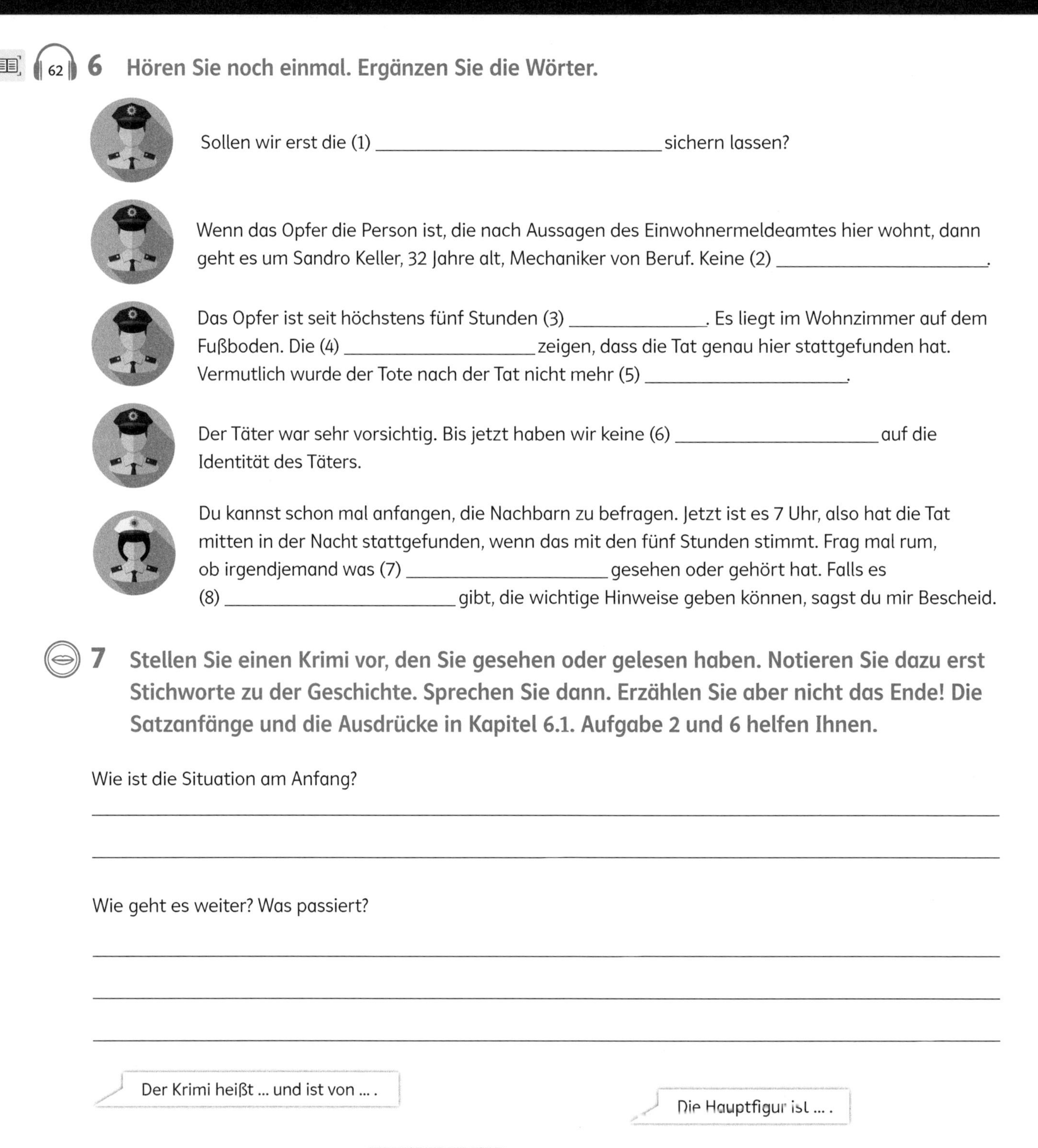

6 Hören Sie noch einmal. Ergänzen Sie die Wörter.

62

Sollen wir erst die (1) ____________________ sichern lassen?

Wenn das Opfer die Person ist, die nach Aussagen des Einwohnermeldeamtes hier wohnt, dann geht es um Sandro Keller, 32 Jahre alt, Mechaniker von Beruf. Keine (2) ____________________.

Das Opfer ist seit höchstens fünf Stunden (3) ____________. Es liegt im Wohnzimmer auf dem Fußboden. Die (4) ____________________ zeigen, dass die Tat genau hier stattgefunden hat. Vermutlich wurde der Tote nach der Tat nicht mehr (5) ____________________.

Der Täter war sehr vorsichtig. Bis jetzt haben wir keine (6) ____________________ auf die Identität des Täters.

Du kannst schon mal anfangen, die Nachbarn zu befragen. Jetzt ist es 7 Uhr, also hat die Tat mitten in der Nacht stattgefunden, wenn das mit den fünf Stunden stimmt. Frag mal rum, ob irgendjemand was (7) ____________________ gesehen oder gehört hat. Falls es (8) ____________________ gibt, die wichtige Hinweise geben können, sagst du mir Bescheid.

7 Stellen Sie einen Krimi vor, den Sie gesehen oder gelesen haben. Notieren Sie dazu erst Stichworte zu der Geschichte. Sprechen Sie dann. Erzählen Sie aber nicht das Ende! Die Satzanfänge und die Ausdrücke in Kapitel 6.1. Aufgabe 2 und 6 helfen Ihnen.

Wie ist die Situation am Anfang?

____

____

Wie geht es weiter? Was passiert?

____

____

____

Der Krimi heißt ... und ist von ... .

Die Hauptfigur ist ... .

Er spielt in ... .

Mehr verrate ich jetzt nicht, damit ... .

Es geht um ... .

Ich fand den Film / das Buch ..., weil ...

8 Gesundheit

1 Wozu würden Sie mir raten?

63 1 Was ist richtig? Hören Sie und kreuzen Sie an.

1. Womit hat Herr Weill gesundheitliche Schwierigkeiten?

◯ a) Mit seinem Gewicht. ◯ b) Mit dem Schlaf. ◯ c) Mit dem Blutdruck.

2. Wozu rät Doktor Andropov?

◯ a) Zu einer besseren Ernährung. ◯ b) Zu mehr Bewegung. ◯ c) Zu mehr Medikamenten.

TIPP Achten Sie auf die Präpositionen: *Schwierigkeiten haben mit, raten zu.* Sie finden die Präpositionen in den Fragen *womit* und *wozu* und in den Antworten wieder.

63 2 Hören Sie noch einmal. Was ist richtig? Kreuzen Sie an. Manchmal sind beide Lösungen richtig.

1. Herr Weill möchte
   - ◯ a) nicht so viele Medikamente nehmen.
   - ◯ b) gesünder leben, um seinen Blutdruck zu verbessern.
2. Doktor Andropov fragt Herrn Weill zuerst
   - ◯ a) nach der Art seiner Medikamente.
   - ◯ b) nach seiner Ernährungsweise.
3. Herr Weill ernährt sich
   - ◯ a) eher ungesund.
   - ◯ b) eher gesund.
4. Doktor Andropov meint, dass Sport
   - ◯ a) fröhlich macht.
   - ◯ b) Im Gegensatz zu Medikamenten nicht schädlich ist.
5. Herr Weill hat keine Lust,
   - ◯ a) ins Fitnessstudio zu gehen.
   - ◯ b) alleine Sport zu machen.
6. Am Ende beschließt Herr Weill
   - ◯ a) einen Kampfsport auszuprobieren.
   - ◯ b) mehr Kung-Fu-Filme zu sehen, um sich zu motivieren.
7. Doktor Andropov rät dazu,
   - ◯ a) eine Sportart zu wählen, die man gerne macht.
   - ◯ b) bei Blutdruckproblemen einen Kampfsport auszuprobieren.

3 Was bedeuten die Ausdrücke? Verbinden Sie.

1. den inneren Schweinehund überwinden ____ a) nicht aufhören oder aufgeben, weitermachen
2. am Ball bleiben ____ b) die Kontrolle über etwas gewinnen
3. etwas in den Griff bekommen ____ c) sich motivieren, etwas zu tun, wozu man eigentlich keine Lust hat

63 4 Ratschläge geben: Hören Sie noch einmal und ergänzen Sie.

Das (1) ________________ Sie ändern. Ich (2) ________________ Ihnen raten, mindestens viermal in der Woche Sport zu machen.

Dann suchen Sie sich etwas anderes. Sie (3) ________________ zum Beispiel einen Mannschaftssport ausprobieren.

Ja, dann (4) ________________ das vielleicht etwas für Sie.

An Ihrer Stelle (5) ________________ ich ruhig etwas Neues ausprobieren und dann vor allem darauf achten, am Ball zu bleiben.

TIPP Die Verben *sollen* und *können* im Konjunktiv II für Ratschläge lassen sich flexibel verwenden. *Können* ist dabei schwächer und drückt einen Vorschlag aus. *Sollen* ist stärker und drückt eine Empfehlung aus. Die Ausdrücke *Ich würde Ihnen/dir raten ...* und *An Ihrer/deiner Stelle würde ich ...* sind unveränderlich.

64 5 Was ist richtig? Kreuzen Sie an. Es gibt mehrere richtige Lösungen.

Gegen Ihre Schlafstörungen soll Frau Siemsen

- ◯ 1. weniger arbeiten.
- ◯ 2. später arbeiten.
- ◯ 3. sich spät abends nicht mehr mit dem Handy beschäftigen.
- ◯ 4. im Internet Videos zum Einschlafen suchen
- ◯ 5. nicht zu spät essen.
- ◯ 6. sich besser ernähren.
- ◯ 7. kürzer schlafen.
- ◯ 8. herausfinden, wie lange sie schlafen sollte.

64 6 Noch mehr Ratschläge: Hören Sie und ergänzen Sie.

1. Das ist ein ziemlich großer Unterschied. ________________, wenn Sie mit Ihrem Arbeitgeber sprechen könnten.
2. Schwaches, rotes Licht ist besser. ________________ bei Kerzenschein, dann werden Sie schneller müde.
3. Das kann auch zu Schlafproblemen führen. ________________, die letzte Mahlzeit mindestens drei Stunden vor dem Einschlafen zu sich zu nehmen.
4. Das wird sicherlich helfen. ________________: Experimentieren Sie ein bisschen mit der Dauer Ihres Schlafs.

7 Vergleichen Sie die Sätze. Welcher Ratschlag ist höflicher? Kreuzen Sie an.

1. ◯ a) Lesen Sie. ◯ b) Lesen Sie lieber ein wenig.
2. ◯ a) Experimentieren Sie. ◯ b) Und noch ein Tipp: Experimentieren Sie ein bisschen.

TIPP Sie können für Ratschläge auch den Imperativ verwenden. Durch Ausdrücke wie *lieber, am besten, ein wenig* oder *ein bisschen* machen Sie sie höflicher.

65

8 Was soll ich machen?

a **Sehen Sie die Fotos an. Hören Sie dann, welche gesundheitlichen Probleme die Personen haben. Notieren Sie, welche Person Sie mit *du* und welche mit *Sie* angesprochen hat.**

1. ______________ 2. ______________ 3. ______________ 4. ______________

65

b **Hören Sie noch einmal und geben Sie Ratschläge. Die Ausdrücke aus den Aufgaben 4, 6 und 7 und die Satzanfänge unten helfen Ihnen. Verwenden Sie *du* oder *Sie* genauso wie die Personen.**

Vielleicht solltest du / sollten Sie aufhören, ... zu ...

Am besten wäre es sicherlich, wenn du /Sie ...

An deiner / Ihrer Stelle würde ich versuchen, weniger ...

Ich würde dir / Ihnen raten, ... zu ...

9 Wie geht es Ihnen? Ergänzen Sie die Mindmap mit Informationen zu Ihrer eigenen Gesundheit. Beantworten Sie dann die Fragen.

GESUNDHEIT

Schlaf

Ernährung

gesundheitliche Probleme

Bewegung

1. Schlafen Sie normalerweise gut, oder haben Sie Schlafprobleme? Beschreiben Sie Ihren Schlaf.

Ich schlafe normalerweise recht …

Schlafprobleme habe ich meistens, wenn …

2. Beschreiben Sie Ihre Ernährungsweise.

Eine gesunde Ernährung ist für mich wichtig / nicht so wichtig. Ich finde …

Ich esse (nicht so) viel/wenig … und …

Im Allgemeinen achte ich darauf, … zu …

3. Bewegen Sie sich genug? Was tun Sie, um den inneren Schweinhund zu überwinden?

Normalerweise bewege ich mich …

Um den inneren Schweinehund zu überwinden, …

4. Haben Sie gesundheitliche Probleme? Was tun Sie, um sie in den Griff zu bekommen?

Ich habe… / Ich leide unter …

Dagegen nehme/mache ich …

2 Das tut gar nicht weh.

66 1 Hören Sie, was die Arzthelferin sagt, und verbinden Sie.

1. Dem Patienten ____ a) wird der Blutdruck gemessen.
2. Der Patientin ____ b) wird gewogen.
3. Dem Patienten ____ c) wird der Verband gewechselt.
4. Der Patient ____ d) sind Tabletten verschrieben worden.
5. Der Patientin ____ e) wird Blut abgenommen.

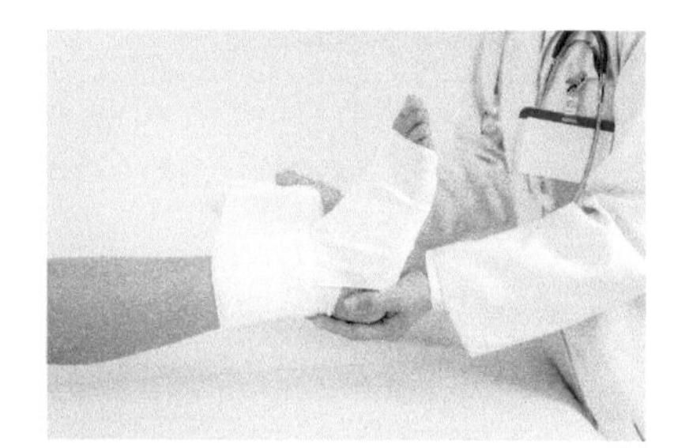

TIPP Beachten Sie die n-Deklination bei dem Wort *Patient*. Die Deklinationsformen im Singular heißen: *der Patient, den Patienten, dem Patienten, des Patienten.*

Beachten Sie außerdem die Bildung des Passiv Perfekt. Das Partizip von *werden* ist hier *worden*, nicht *geworden: Dem Patienten sind Tabletten verschrieben worden.*

66 2 Was ist richtig? Hören Sie noch einmal und kreuzen Sie an.

1. Patient 1 soll die Tabletten
   ◯ a) dreimal ◯ b) zweimal täglich nehmen.
2. Patient 2 soll den Arm
   ◯ a) anspannen ◯ b) freimachen und entspannen.
3. Patient 3 hat
   ◯ a) eine Wunde am Fuß. ◯ b) einen gebrochenen Fuß.
4. Patient 4
   ◯ a) wiegt genauso viel wie vorher. ◯ b) hat abgenommen.
5. Patient 5 soll
   ◯ a) die Hand zu einer lockeren Faust machen.
   ◯ b) die Faust auf- und zu machen.

3 Was ist mit den Patienten gemacht worden? Ordnen Sie zu und formulieren Sie dann Sätze im Passiv Perfekt.

[Fieber messen • eine Spritze geben • Augentropfen verschreiben • einen Gips anlegen]

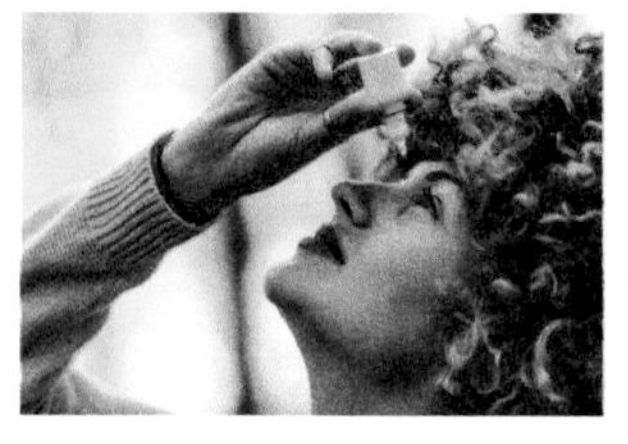

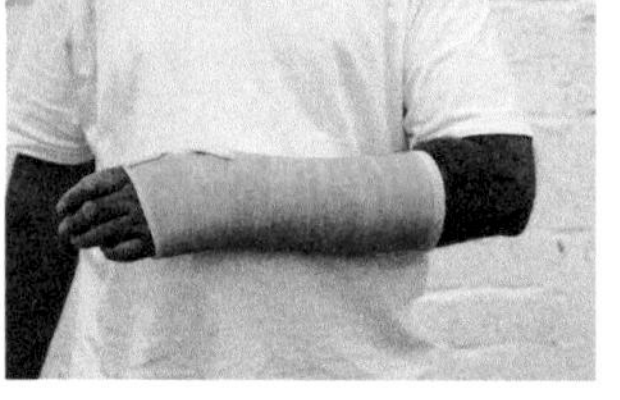

1. ______________________
2. ______________________
3. ______________________
4. ______________________

4 Beantworten Sie die Fragen zu Ihrem letzten Arztbesuch. Die Satzanfänge helfen Ihnen.

Welche gesundheitlichen Probleme hatten Sie?

> Ich war beim Arzt, weil ich ... / Probleme mit ... hatte.

Welche Untersuchungen sind mit Ihnen gemacht worden?

> Zuerst bin ich / ist mir ... worden. Dann ...

Was sollten Sie während der Untersuchungen machen?

> Als mir/ich ..., sollte ich ...

Welche Medikamente sind Ihnen verschrieben worden?

> Mir ist/sind ... verschrieben worden.

Wie und wann sollten Sie diese Medikamente einnehmen?

> Die ... sollte ich ... Tage/Wochen lang immer ... nehmen/anwenden.

5 Den Notruf anrufen: Welches Bild passt? Hören Sie und kreuzen Sie an.

○ 1.

○ 2.

○ 3

6 Was ist richtig? Hören Sie noch einmal und kreuzen Sie an.

1. Wo liegt der Mann?
   - ○ a) Neben einem Einkaufszentrum in der Nähe des Bahnhofs.
   - ○ b) Auf einem Weg, der um den Bahnhof herum führt.
2. Ist der Mann wach und kann sprechen?
   - ○ a) Nein, aber er reagiert leicht, wenn die Frau Dummert ihn an der Schulter berührt.
   - ○ b) Nein, er liegt mit geschlossenen Augen da und reagiert gar nicht.
3. Was kann man äußerlich erkennen?
   - ○ a) Der Mann sieht unverletzt aus. Es gibt keine Hinweise auf Alkohol oder Drogen.
   - ○ b) Der Mann hat kaputte Kleidung an und blutet.
4. Was soll Frau Dummert jetzt tun?
   - ○ a) Sie soll bleiben, wo sie ist, und ihr Telefon bereithalten.
   - ○ b) Sie soll warten. Wenn niemand kommt, soll sie noch einmal anrufen.

TIPP Bei einem Notruf sollte man die fünf Ws beachten: *Wo* sind Sie? *Wer* sind Sie? *Was* ist passiert? *Wie viele* Personen sind verletzt? *Warten* Sie, ob die Person in der Notrufzentrale Ihnen noch Fragen stellen möchte.

7 Wer sagt was? Hören Sie und ordnen Sie die Buchstaben A-C zu.

1. ____ 2. ____ 3. ____

8 Hören Sie noch einmal und ergänzen Sie.

Die Frau hat Schmerzen in der (1) ______________. Sie glaubt, es ist das (2) ______________.

Der Mann ist von der Leiter (3) ______________. Wenn er versucht aufzustehen, wird ihm (4) ______________ vor Augen.

Der Junge ist mit dem Skateboard (5) ______________. Er glaubt, sein Fuß ist (6) ______________.

TIPP Wenn jemand nicht ansprechbar ist, sagt man auch, die Person ist *bewusstlos* oder *ohnmächtig*.

9 Alarmieren Sie die Notrufnummer!

a Lesen Sie die Infos zu den Personen aus Aufgabe 7 und die Hinweise. Hören Sie dann die Mitarbeiterin von der Notrufzentrale und antworten Sie.

1. Die Frau sitzt im Stadtpark auf einer Bank in der Nähe des Parkcafés.
   Sie ist ansprechbar, aber sie hat starke Schmerzen und Angst.
2. Der Mann ist auf einer Baustelle in der Gärtnerstraße, gegenüber von der Hausnummer 36.
   Er sieht so aus, als würde er gleich bewusstlos werden.
3. Der Junge hat starke Schmerzen, aber er ist ansprechbar. Er versucht immer wieder aufzustehen.

Hinweise zum Notruf:

- Sagen Sie zuerst, wer Sie sind.
- Sagen Sie dann, wo Sie sind und was passiert ist.
- Warten Sie und beantworten Sie die Fragen.

Guten Tag, mein Name ist...

Ich bin ... und hier liegt/sitzt eine Frau / ein Mann / ein Junge.

b Was hat die Frau von der Notrufzentrale gesagt? Was sollen Sie tun? Ergänzen Sie.

Sie sollen bei der Frau (1) ______________ und versuchen, sie zu (2) ______________.

Sie sollen mit dem Mann (3) ______________, damit er nicht (4) ______________ wird.

Sie sollen dem Jungen sagen, dass er nicht (5) ______________, sondern einfach (6) ______________ bleiben und warten soll.

9 Arbeit

1 Firma InTec, Sie sprechen mit Frau Jansen.

72 1 Was ist richtig? Hören Sie und kreuzen Sie an.

- ◯ 1. Herr Lopez ist ein Kunde der Firma InTec.
- ◯ 2. Herr Babic ist wahrscheinlich am Nachmittag zurück.
- ◯ 3. Herr Lopez braucht Steuerbescheide von Herrn Babic.
- ◯ 4. Herr Lopez soll am Nachmittag noch einmal anrufen.

72 2 Wie war das genau?

a Hören Sie noch einmal und ergänzen Sie.

○ Firma InTec, Sie (1) ______________________ mit Frau Jansen. Guten Tag.

● Guten Tag, hier ist Martín Lopez von der Beratungsagentur Alpha. Ich (2) ____________________ eigentlich mit Herrn Babic sprechen. Ist das nicht seine Nummer?

○ Doch, wir teilen uns das Büro und den (3) _________________. Aber Herr Babic ist leider gerade nicht da.

● Wissen Sie, wann ich ihn (4) ___________________________ kann?

○ Soweit ich weiß, hat er heute Vormittag einige Termine (5) _________________ ___________________. Aber ich glaube, (6) ______________ dem frühen Nachmittag müsste er wieder da sein. Soll ich ihm etwas (7) ________________________?

● Das wäre nett. Könnten Sie ihm sagen, dass ich noch einige Steuerunterlagen von ihm bräuchte? Am wichtigsten wären die Bescheide der letzten beiden Jahre.

○ In Ordnung, ich notiere es: Steuerunterlagen, Bescheide der letzten beiden Jahre. Wie (8) _____________ _________________ __________________ Ihr Name?

● Martín Lopez. Meine Nummer ...

○ Ist das die, (9) __________ __________ _____________ Sie gerade anrufen?

● Ja, genau.

○ Dann (10) ______________________________ ich die gleich. Herr Babic ruft Sie dann heute Nachmittag (11) ______________________, oder spätestens morgen, in Ordnung?

● Ja, wunderbar. Vielen Dank, auf Wiederhören!

○ Wiederhören.

TIPP Beachten Sie, wie die Sprecher den Konjunktiv II verwenden, um höflich zu sein.

b Herr Lopez hat eine Kollegin, mit der er gemeinsam die Firma InTec berät. Er fasst das Gespräch für sie zusammen. Welches Wort aus Aufgabe a passt? Ergänzen Sie in der richtigen Form.

Ich habe versucht, Herrn Babic anzurufen, aber ich habe ihn nicht (1) ________________________. Seine Kollegin hat versprochen, ihm (2) _________________________, dass wir noch Unterlagen von ihm brauchen. Sie meinte, dass er mich bestimmt heute oder morgen (3) ____________________________.

3 Hören Sie ein Telefongespräch. Wer macht was? Kreuzen Sie an.

	Frau Leidinger	Herr Salman	
1.	◯	◯	hat etwas bestellt.
2.	◯	◯	überprüft die Bestellung.
3.	◯	◯	verspricht eine weitere Lieferung.

4 Was ist richtig? Wählen Sie.

1. Frau Leidinger hat *weniger/mehr* Nägel bekommen, als sie bestellt hatte.
2. Frau Leidinger hat die Bestellnummer *nicht da/gleich zur Hand.*
3. Die Bestellung ist *richtig/nicht richtig* eingegeben worden.
4. Beim Versand war noch *alles richtig/nicht alles richtig.*
5. Herr Salman schickt noch einmal *25 Nägel/2.500 Nägel.*

5 Sich am Telefon melden: Was können Sie sagen, wenn Sie bei der Arbeit einen Anruf annehmen?

◯ 1. Müller?
◯ 2. Ja? Hallo?
◯ 3. Hier ist Jana Müller.
◯ 4. Braun GmbH, Sie sprechen mit Jana Müller. Guten Tag.
◯ 5. Hier ist die Braun GmbH, Jana Müller am Apparat. Guten Tag.
◯ 6. Jana Müller von der Braun GmbH. Guten Tag.

TIPP Sagen Sie bei beruflichen Telefonaten immer den Namen Ihres Arbeitgebers und ihren eigenen Namen sowie eine kurze Begrüßung. Bei einigen Firmen gehört die Gesellschaftsform zum Namen, z.B. *GmbH (Gesellschaft mit beschränkter Haftung)* oder *AG (Aktiengesellschaft).*

6 Pausen überbrücken: Sie müssen während eines Anrufs etwas suchen oder nachsehen. Welche Ausdrücke können Sie benutzen, damit keine Pause entsteht? Kreuzen Sie an.

◯ 1. Warten Sie (mal kurz).
◯ 2. Einen kleinen Moment.
◯ 3. Ein bisschen warten.
◯ 4. Kein Problem.
◯ 5. Augenblick/Sekunde noch, ich habe es gleich.
◯ 6. Eine Minute bitte, da muss ich ein bisschen suchen.
◯ 7. Einen Augenblick bitte, bleiben Sie kurz dran.

TIPP Wenn Sie beruflich telefonieren, lernen Sie einige dieser Ausdrücke auswendig. Sie sind höflich und klingen natürlich.

7 Telefonieren üben

 74

a Lesen Sie die Informationen. Hören Sie dann und antworten Sie.

Sie arbeiten bei der Firma Mielke. Sie teilen sich das Büro mit Alexander Tal. Heute sind Sie alleine im Büro. Das Telefon klingelt. Sie heben ab.

1. Melden Sie sich und begrüßen Sie die Anruferin oder den Anrufer.

   Firma Mielke. Sie sprechen mit ...

2. Wiederholen Sie Ihren Namen. Sagen Sie, dass Herr Tal gerade nicht da ist.

   Mein Name ist ... Herr Tal ...

3. Sie glauben, dass er den ganzen Tag außer Haus ist.
   Morgen ist er wieder erreichbar.
   Sie fragen, ob Sie etwas ausrichten können.

   Soweit ich weiß, ...
   Aber ich glaube, ...
   Kann ich ihm ...?

4. Sie notieren die Frage und bitten die Anruferin, ihren Namen zu wiederholen.

   In Ordnung, ich notiere es: ...
   Wie war noch gleich ...?

5. Sie sehen die Nummer.
   Sie sagen, dass Herr Tal morgen zurückruft.

   Ja, ich ...
   Herr Tal ...

6. Sie verabschieden sich.

   Auf ...

 75

b Lesen Sie die Informationen. Hören Sie dann und antworten Sie.

Sie arbeiten bei der Gärtnerei Holstein. Frau Knopp, eine ältere Kundin, die schon oft Pflanzen bei Ihnen bestellt hat, ruft an. Sie gehen ans Telefon.

1. Melden Sie sich und begrüßen Sie die Anruferin oder den Anrufer.
2. Begrüßen Sie Frau Knopp noch einmal persönlich und fragen Sie sie nach dem Grund ihres Anrufs.
3. Sie sehen im Computer nach. Sie möchten nicht, dass dabei eine Pause entsteht.
   Dann finden Sie die Bestellung.
   Es sind wirklich weiße Rosen.
4. Sie sehen noch einmal beim Versand nach.
   Die Rosen sind wirklich weiß.
5. Sie beruhigen Frau Kopp. Sie erinnern sich, dass das Schild bei allen Pflanzen rote Rosen zeigt, aber das hat nicht zu bedeuten.
6. Sie bedanken sich ebenfalls und verabschieden sich.

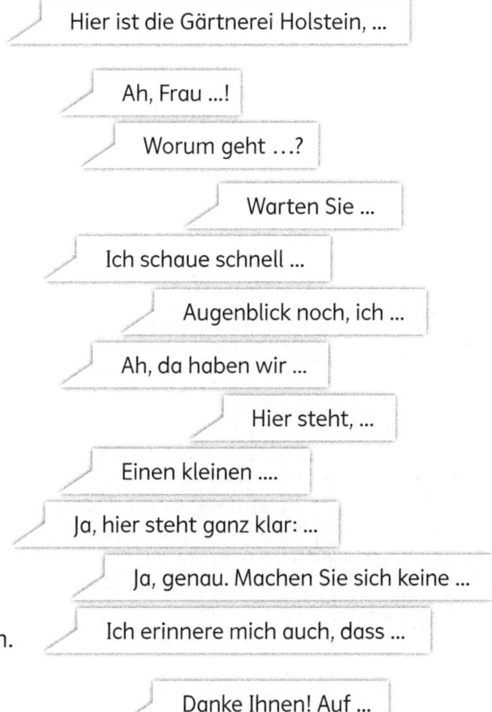

2 Auch heute sind wieder zahlreiche Arbeitnehmerinnen und Arbeitnehmer auf die Straße gegangen.

1 Wichtige Wörter. Welche Ausdrücke haben eine ähnliche Bedeutung? Verbinden Sie.

1. demonstrieren ____ a) auf die Straße gehen
2. Arbeitnehmer sein ____ b) ganztags beschäftigt sein
3. jemanden entlassen ____ c) einen Kompromiss eingehen
4. sich einigen ____ d) jemandem kündigen
5. Vollzeit arbeiten ____ e) in einem Unternehmen beschäftigt sein

76 2 Hören Sie eine Radionachricht. Was ist richtig? Kreuzen Sie an.

Die Menschen demonstrieren gegen

1. eine Einigung des Unternehmens mit dem Betriebsrat. ◯
2. Kompromisse, die die Gewerkschaft eingehen will. ◯
3. Kündigungen, die das Unternehmen plant. ◯

76 3 Hören Sie noch einmal und beantworten Sie die Fragen in Stichworten.

1. Wie viele Leute sollen entlassen werden? ____________
2. Wie lange wird schon über die Entlassungen gesprochen? ____________
3. Wann haben die Mitarbeiter von den aktuell geplanten Kündigungen erfahren? ____________
4. Wie fühlen sich die Mitarbeiter jetzt? ____________

____

77 4 Hören Sie den zweiten Teil der Nachricht. Wer sagt was? Verbinden Sie. Es gibt jeweils zwei Lösungen.

1. Sprecherin 1 ____ ____
2. Sprecherin 2 ____ ____
3. Sprecher 3 ____ ____

a) kritisiert die Unternehmensleitung.
b) hat Angst, nicht mehr genug Geld für die Familie zu verdienen.
c) ist in der Gewerkschaft und fühlt sich verantwortlich.
d) erzählt, welche Kompromisse die Arbeitnehmer gemacht haben.
e) spricht über die Kündigungsfrist.
f) nennt Gründe für die Entlassungen.

77

5 Hören Sie noch einmal. Was ist richtig? Kreuzen Sie an.

1. Was bedeutet es, Entlassungen sozial zu gestalten?
◯ a) Die Mitarbeiter vor Kündigungen zu schützen.
◯ b) Möglichst keine Leute zu entlassen, die Familie haben oder schon älter sind.

2. Was bedeutet der Ausdruck *jemanden vor die Tür setzen*?
◯ a) Jemanden entlassen.
◯ b) Die Kündigungsfrist verlängern.

3. Worauf haben die Mitarbeiterinnen und Mitarbeiter verzichtet?
◯ a) Auf ihren Lohn und darauf, Überstunden zu machen.
◯ b) Auf Lohnerhöhungen, Bezahlung für Überstunden und Urlaubstage.

4. Was sagt die Gewerkschafterin?
◯ a) Sie freut sich, dass sie nicht so leicht entlassen werden kann.
◯ b) Sie will streiken, wenn die Geschäftsleitung keine Lösung anbietet.

5. Was hatte das Unternehmen in letzter Zeit?
◯ a) Aufträge im Energiebereich.
◯ b) Niedrigere Einnahmen und höhere Ausgaben.

6. Was hat das Unternehmen am Ende verloren?
◯ a) Viel Geld.
◯ b) Das Vertrauen der Mitarbeiterinnen und Mitarbeiter.

77

6 Wie war das genau?

a Hören Sie noch einmal und ergänzen Sie die Ausdrücke.

Ich habe zwei Kinder, die beide noch zur Schule gehen. (1) ____________________, wenn ich meine Arbeit verliere? [...] sie behaupten, dass Angestellte mit Kindern oder ältere Mitarbeiter besser geschützt sind, aber (2) ____________________ bei 300 Entlassungen ____________________? [...] Die können mich in drei Monaten vor die Tür setzen, obwohl ich hier so lange Vollzeit gearbeitet habe. (3) ____________________ so schnell eine neue Arbeit finden?

Wir haben auf Lohnerhöhungen verzichtet, wir haben unbezahlte Überstunden gemacht, wir haben unsere Urlaubstage nicht genommen. (4) ____________________, damit sie hier niemanden entlassen. (5) ____________________: Sie arbeiten Vollzeit [...]. Als Gewerkschafterin fühle ich mich auch dafür verantwortlich, dass so etwas nicht passiert. (6) ____________________ ____________________ all diese Gespräche geführt?

Wie man mit einer Krise umgeht, ist (7) ____________________ eine Frage des Managements. (8) ____________________, dass das Management überhaupt keine Rücksicht auf uns nimmt.

b Welche Funktion haben die Ausdrücke? Kreuzen Sie an.

1. *Was sollen wir denn machen? Wie soll das denn gehen? Wie soll ich denn ...*

   Diese Sätze und Satzteile drücken ________ aus.

   ◯ a) Zweifel und Verzweiflung ◯ b) eine Frage um Rat

2. *Und das alles nur, damit/weil ...! Stellen Sie sich das mal vor! Wozu haben wir denn ...?*

   Diese Sätze und Satzteile drücken ________ aus.

   ◯ a) Angst ◯ b) Wut

3. *Meiner Meinung nach ... Wir haben das Gefühl, dass ...*

   Diese Sätze und Satzteile drücken ________ aus.

   ◯ a) die eigene Meinung ◯ b) eine scharfe Kritik

7 Jetzt Sie: Lesen Sie die Informationen. Erzählen Sie dann in einem Interview von Ihrer Situation. Die Ausdrücke aus Aufgabe 5 und die Satzanfänge helfen Ihnen.

Ein großer Paketversand in einer anderen Stadt hat für die Weihnachtszeit Mitarbeiter gesucht. Sie haben sich beworben und eine Stelle bekommen. Drei Monate sollen Sie dort arbeiten können. Eine Unterkunft bekommen Sie von Ihrem Arbeitgeber.
Sie fahren in die Stadt, ziehen in die Unterkunft ein und beginnen mit der Arbeit. Aber vieles ist anders, als Sie gedacht haben:

- Sie haben nur ein sehr kleines Zimmer. Küche und Bad müssen Sie mit anderen Mitarbeitern des Paketversands teilen. Es gibt einen Sicherheitsdienst, der Ihr Zimmer und Ihre Taschen kontrolliert.
- Von der Unterkunft zu Ihrem Arbeitsplatz ist es sehr weit. Es gibt nur einen Bus dorthin. Wenn er sich verspätet, bekommen Sie weniger Geld.
- Ihr Arbeitsplatz ist sehr kalt.
- Sie dachten, Ihr Arbeitsplatz wäre für drei Monate sicher. Aber nach einem Monat kommt ein leitender Mitarbeiter nach der Arbeit zu Ihnen. Er sagt, der Paketversand hat nicht genug Aufträge und muss Mitarbeiter entlassen. Sie haben 24 Stunden Zeit, Ihre Sachen zu packen und die Unterkunft zu verlassen.

Letztes Jahr habe ich mich zur Weihnachtszeit ...

Ich sollte dort drei Monate lang ...

Als ich angekommen bin, habe ich gemerkt, dass ...

Stellen Sie sich das mal vor! ...

Außerdem ...

Nach einem Monat ist ein Mitarbeiter zu mir gekommen und hat gesagt, ...

Ich habe gedacht: Was soll ich denn ...?

Meiner Meinung nach ...

10 Behörden

1 Polizeidirektion Mitte, was kann ich für Sie tun?

1 Welches Wort passt? Ordnen Sie zu.

[Aktenzeichen • Ermittlung • Verstoß • Anliegen • Eigenbedarf]

1. Ein Vermieter darf einen Mietvertrag nicht ohne Grund kündigen. Aber er darf kündigen, wenn er die Wohnung selbst braucht. Das nennt man ______________________.
2. Wenn eine Behörde eine Anfrage oder einen Antrag bearbeitet, legt sie dazu einen eigenen Ordner an, eine so genannte Akte. Diese bekommt eine Nummer. Das ist das ______________________.
3. Ein Problem, eine Frage oder ein Thema, das einem wichtig ist und über das man daher sprechen möchte, ist ein ______________.
4. Wenn die Polizei einen Kriminalfall oder einen Unfall untersucht, spricht man von einer ______________________.
5. Wenn jemand etwas Illegales macht, spricht man von einem ______________ gegen das Gesetz.

2 Hören Sie. Welche Nummer passt? Ergänzen Sie.

1. Notfälle ______________
2. allgemeine Informationen ______________
3. Anzeigen und Beschwerden ______________
4. Fälle, zu denen es bei der Polizei bereits eine Akte gibt ______________

3 Hören Sie. Was ist richtig? Kreuzen Sie an.

◯ 1. Leon möchte seine ehemalige Nachbarin anzeigen, weil sie ihm etwas Falsches erzählt hat.

◯ 2. Leon möchte die Tochter des Vermieters anzeigen, weil sie ihm die Wohnung weggenommen hat.

◯ 3. Leon möchte seinen Vermieter anzeigen, weil die Kündigung seiner Wohnung nicht legal war.

79

4 Hören Sie noch einmal. Was ist richtig? Kreuzen Sie an.

1. Leons Wohnung wurde *gestern/letzten Monat/letztes Jahr* gekündigt.
2. Die Tochter ist *sofort/nach einem jungen Mann/nie* in die Wohnung eingezogen.
3. Nach Leons Auszug wurde die Wohnung *lange renoviert/sofort wieder vermietet/verkauft.*
4. Heute wohnt in Leons alter Wohnung *ein junger Mann/ein Paar/eine neue Nachbarin.*
5. Um den Vermieter anzuzeigen, soll Leon *einen Anwalt für Mietrecht/zuerst seinen ehemaligen Vermieter/eine andere Abteilung der Polizei* anrufen.

80 5 Hören Sie. Über welche Themen spricht Leon mit der Polizistin? Kreuzen Sie an.

- ◯ 1. über einen Verdacht des Vermieters
- ◯ 2. über den Abschluss des Mietvertrags
- ◯ 3. über die Übernahme der Wohnung durch den Sohn
- ◯ 4. über das Kündigungsschreiben
- ◯ 5. über Leons Situation nach der Kündigung
- ◯ 6. über ein bestimmtes Anwaltsbüro, das sich auf Mietrecht spezialisiert hat
- ◯ 7. über Möglichkeiten, sich beraten zu lassen

80 6 Hören Sie noch einmal. Welche Antwort ist richtig? Kreuzen Sie an.

1. Mit wem hat Leon den Mietvertrag abgeschlossen?
   - ◯ a) Mit seinem letzten Vermieter.
   - ◯ b) Mit den Eltern seines letzten Vermieters.
2. Worüber hat sich Leon gefreut, als er den Mietvertrag abgeschlossen hat?
   - ◯ a) Über die niedrige Miete.
   - ◯ b) Über die schöne Wohnung.
3. Wann hat der Sohn die Wohnung übernommen?
   - ◯ a) Vorletztes Jahr.
   - ◯ b) Letztes Jahr.
4. Um wie viel Prozent durfte der neue Vermieter die Miete erhöhen?
   - ◯ a) 15%.
   - ◯ b) 50%.
5. War der Vermieter mit der höheren Miete zufrieden?
   - ◯ a) Ja.
   - ◯ b) Nein.
6. Welchen Vorteil hat der Vermieter, wenn ein neuer Mieter einzieht?
   - ◯ a) Er kann mehr Miete verlangen.
   - ◯ b) Die Kündigungsfrist ist kürzer.
7. Was sagt die Polizistin über die Kündigung?
   - ◯ a) Die Kündigung ist rechtlich in Ordnung.
   - ◯ b) Es fehlen ein paar wichtige Angaben.
8. Warum hat Leon die Kündigung nicht prüfen lassen?
   - ◯ a) Die Situation war neu und schwierig für ihn.
   - ◯ b) Er hatte Angst, dass der Vermieter einen Anwalt beauftragt.
9. Wozu rät die Polizistin?
   - ◯ a) Einen guten Anwalt zu beauftragen.
   - ◯ b) Sich beim Mieterschutzbund beraten zu lassen.

7 Was passt zusammen? Verbinden Sie.

1. einen Vertrag ____ a) begründen, prüfen lassen
2. eine Wohnung ____ b) erhöhen, mindern
3. die Miete ____ c) übernehmen, vermieten
4. einen Anwalt ____ d) abschließen, kündigen
5. eine Kündigung ____ e) beauftragen, um Rat fragen

TIPP Wenn in einer Mietwohnung etwas Wichtiges wie Fenster, Türen oder Heizung kaputt ist, darf der Mieter weniger Miete zahlen, bis der Vermieter den Schaden repariert hat. Das nennt man *die Miete mindern* oder *eine Mietminderung*.

81

8 Lesen Sie die Informationen. Hören Sie dann und antworten Sie.

Sie rufen bei der Polizei an, weil Sie Ihren Vermieter anzeigen möchten. Es ist Winter und die Heizung funktioniert nicht. Dies haben Sie dem Vermieter vor drei Wochen schriftlich mitgeteilt. Außerdem haben Sie die Miete gemindert. Der Vermieter repariert die Heizung aber nicht und ist mit der Mietminderung auch nicht einverstanden. Er sagt, wenn Sie nicht die gesamte Miete bezahlen, wird er Ihnen kündigen.

Begrüßen Sie den Polizisten. Sagen Sie Ihren Namen und den Grund Ihres Anrufs.

Erzählen Sie von Ihrem Streit mit dem Vermieter.

Fragen Sie, was Sie jetzt machen können.

Antworten Sie mit Ja.

Bedanken und verabschieden Sie sich.

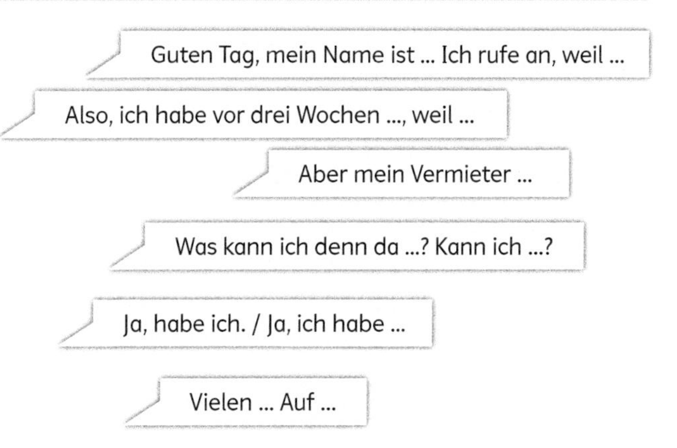

82

9 Lesen Sie die Informationen. Hören Sie dann und antworten Sie.

Sie begrüßen den Polizisten und nennen den Grund für Ihren Besuch.

Sie erklären, dass Ihr Vermieter die Kündigung noch nicht geschickt hat, dass er die Heizung aber auch nicht repariert und die Mietminderung nicht akzeptiert.

Sie erklären den zeitlichen Ablauf:

13. November: Heizung kaputt (abends)

14. November: Vermieter angerufen, nicht erreicht. E-Mail geschrieben.

15. November: telefonisch nicht erreicht. E-Mail geschrieben. Mietminderung angekündigt.

31. November: erste geminderte Miete überwiesen

Sie sind nicht im Mieterschutzbund.

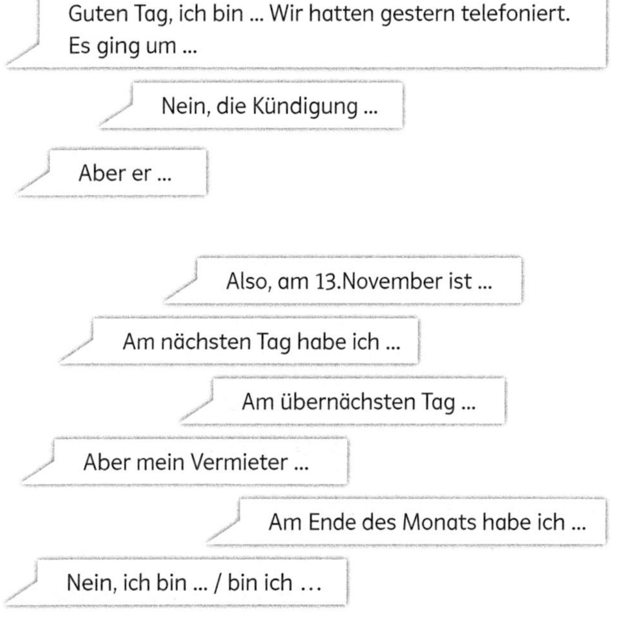

2 Dann müssten Sie nachher noch die Anlage WEP ausfüllen.

83 **1** Herr Keduk möchte Arbeitslosengeld beantragen. Hören Sie den Anfang eines Gesprächs im Jobcenter und ergänzen Sie den Antrag, wo nötig.

1. Anrede: ______________ Vorname: Bong

Nachname: Keduk 2. Geburtsname: ______________

3. Rentenversicherungsnummer ______________

○ Rentenversicherungsnummer ist noch nicht vorhanden und wurde beantragt.

4. Antragsstellung ○ ab sofort ○ ab einem späteren Zeitpunkt: ______________

5. **Familienstand**
Ich bin ○ ledig ○ verheiratet ○ verwitwet
○ geschieden seit ______________ ○ dauernd getrennt lebend seit ______________
oder meine eingetragene Lebenspartnerschaft ist
○ eingetragen seit ______________ ○ aufgehoben seit ______________ ○ dauernd getrennt seit ______________.

6. **Bearbeitungsvermerke**
(nur vom Jobcenter auszufüllen)
Tag der Antragsstellung: ______________
Kundennummer: ______________

84 **2** Hören Sie das Gespräch weiter.

a Kreuzen Sie die richtige Antwort an.

Wohnsituation:
○ 1. Ich wohne alleine.
○ 2. Ich wohne nicht alleine. Ich wohne zusammen mit
  ○ 3. meinem Ehegatten/meiner Ehegattin (Bitte füllen Sie die Anlage **WEP** aus.)
  ○ 4. meiner eingetragenen Lebenspartnerin/meinem eingetragenen Lebenspartner (Bitte füllen Sie die Anlage **WEP** aus.)
  ○ 5. meiner Partnerin/meinem Partner in einer Verantwortungs- und Einstehensgemeinschaft ("eheähnliche Gemeinschaft") (Bitte füllen Sie die Anlage **WEP** aus.)
  ○ 6. ___ unverheirateten Kind(ern) zwischen 15 Jahren und 24 Jahren (Bitte füllen Sie für jedes Kind eine eigene Anlage **WEP** aus.)
  ○ 7. ___ unverheirateten Kind(ern) unter 15 Jahren (Bitte füllen Sie für jedes Kind eine eigene Anlage **KI** aus.)

8. Mir entstehen Kosten für Unterkunft/Heizung. ○ Ja ○ Nein (Bitte füllen Sie die Anlage **KDU** aus.)
Persönliche Angaben des Antragstellers oder der Antragstellerin
9. Ich habe für den Monat der Antragstellung bereits Leistungen bei einem anderen Jobcenter beantragt oder von diesem bezogen. ○ Ja ○ Nein
10. Ich fühle mich gesundheitlich in der Lage, eine Tätigkeit von mindestens drei Stunden täglich auszuüben. ○ Ja ○ Nein
11. Ich bin Berechtigte/Berechtigter nach dem Asylbewerberleistungsgesetz. ○ Ja ○ Nein

b Welche zusätzlichen Formulare muss Herr Keduk noch ausfüllen? Kreuzen Sie an.

○ 1. Anlage WEP ○ 2. Anlage KI ○ 3. Anlage KDU

85 **3 Hören Sie und füllen Sie das Formular weiter aus.**

4. **Weitere persönliche Angaben**

5. **Prüfung eines Mehrbedarfs**

◯ 1. Ich bin alleinerziehend.

◯ 2. Ich bin schwanger.

◯ 3. Ich benötige aus medizinischen Gründen eine kostenaufwändige Ernährung.

◯ 4. Ich habe eine Behinderung und erhalte

- Leistungen zur Teilhabe am Arbeitsleben nach § 49

Meine Lebenssituation

Einkommen und Vermögen

Füllen Sie hierfür bitte die Anlagen **EK** oder, wenn Sie selbstständig tätig sind, die Anlage **EKS** aus.

Zu Ihrem Vermögen füllen Sie bitte die Anlage **VM** aus.

Vorrangige Leistungen

In den letzten 5 Jahren

◯ 5. war ich beschäftigt

Arbeitgeber: ______________________ ◯ 6. sozialversicherungspflichtig ◯ 7. Minijob

◯ 8. war ich selbstständig tätig.

◯ 9. habe ich Angehörige gepflegt.

◯ 10. habe ich Entgeldersatzleistungen erhalten (z.B. Krankengeld, Arbeitslosengeld, Mutterschaftsgeld, Übergangsgeld, Elterngeld)

Ansprüche gegenüber Dritten

◯ 11. Ich habe schon andere Leistungen (z.B. Leistungen nach dem Bundesausbildungsförderungsgesetz (BAföG), Berufsausbildungsbeihilfe (BAB), Wohngeld, Arbeitslosengeld, Rente, Kindergeld) beantragt oder beabsichtige, einen Antrag zu stellen.

◯ 12. Ich erhebe Ansprüche gegen einen (ehemaligen) Arbeitgeber auf noch ausstehende Lohn- oder Gehaltszahlungen.

◯ 13. Ich habe einen gesundheitlichen Schaden durch einen Dritten erlitten (z.B. Arbeits-, Verkehrs-, Spiel- oder Sportunfall, ärztlicher Behandlungsfehler, tätlicher Angriff). Ich muss deshalb Leistungen beim Jobcenter beantragen.

◯ 14. Ich lebe getrennt von meiner Ehegattin/meinem Ehegatten bzw. meiner eingetragenen Lebenspartnerin/meinem eingetragenen Lebenspartner.

◯ 15. Ich bin geschieden bzw. meine eingetragene Lebenspartnerschaft wurde aufgehoben.

Kranken- und Pflegeversicherung

Pflichtversicherung in der gesetzlichen Kranken- und Pflegeversicherung

◯ 16. Ich bin oder war zuletzt in der gesetzlichen Kranken- und Pflegeversicherung pflicht- oder familienversichert.

17. Name der Krankenkasse: ________________________________

◯ 18. Ich bin privat oder freiwillig gesetzlich versichert.

◯ 19. Ich bin nicht versichert.

4 Amtsdeutsch: eine eigene Sprache

a Was passt? Verbinden Sie.

1. die Anrede ____ a) gesetzlich oder privat
2. die Rentenversicherungsnummer ____ b) Herr, Frau, Doktor, Prof. Dr.
3. der Familienstand ____ c) 26140379K558
4. die Krankenversicherung ____ d) ledig, verheiratet, verwitwet, getrennt lebend, geschieden

b Ergänzen Sie die Adjektive in der richtigen Form.

sozialversicherungspflichtig • gesundheitlich • alleinerziehend • eingetragen • behindert • tätlich • eheähnlich

1. Eine ____________ Gemeinschaft ist eine Beziehung, in der die Partner nicht verheiratet sind, aber zusammenwohnen.
2. ____________ zu sein bedeutet, dass man allein für die Kinder verantwortlich ist, der andere Elternteil kümmert sich nicht um alltägliche Fragen.
3. ____________ zu sein bedeutet, dass man ein körperliches oder geistiges Handicap hat.
4. Eine ____________ Beschäftigung ist eine Arbeit, bei der man mehr als 450 Euro verdient und kranken- und rentenversichert ist.
5. Seit 2017 können gleichgeschlechtliche Paare in Deutschland heiraten. Davor gab es die Möglichkeit einer ____________ Lebenspartnerschaft.
6. Wenn man durch einen Unfall oder eine falsche Behandlung im Krankenhaus einen ____________ Schaden erlitten hat und deshalb Arbeitslosengeld beantragen muss, gibt man das im Antrag an.
7. Dasselbe gilt für einen ____________ Angriff, wenn man also geschlagen oder anders körperlich angegriffen wurde.

5 Hören Sie die Fragen der Beamtin und antworten Sie.

86

- Bei Anrede schreiben wir ...
- Meine Rentenversicherungsnummer ...
- Ich bin ...
- Ich lebe alleine. / Ich lebe mit einer Person / zwei Personen zusammen, und zwar: ...
- Ja, das zahle ich selbst. Im Monat sind das ... / Nein, die Kosten zahlt ... für mich.
- Ja, Asyl bekomme ich ... / Nein, ich habe kein Asyl ...
- Ich habe ... und bin (nicht) ...
- Nein, ich bin gesund. / Ja, ich habe ...
- Das war ...
- Zuletzt habe ich bei ... in ... gearbeitet, und zwar ...
- Nein, ich bin nicht krankenversichert. / Ja, ich bin krankenversichert, und zwar ... bei der ...

11 Bankgeschäfte

1 Ich würde gern ein Konto bei Ihnen eröffnen.

1 Welche Wörter haben eine ähnliche Bedeutung? Verbinden Sie.

1. sein Konto überziehen
2. Geld überweisen
3. Zinsen zahlen
4. Kontoführungsgebühren
5. ein Konto eröffnen

_____a) sich ein neues Konto einrichten lassen
_____b) Geld dafür bezahlen, dass man Geld leiht
_____c) Geld von einem Konto auf ein anderes senden
_____d) im Minus sein, Schulden haben, Geld zurückgeben müssen
_____e) Kosten eines Kontos

87 2 Hören Sie ein Gespräch in einer Bank. Über welche Themen spricht die Kundin mit dem Bankangestellten? Kreuzen Sie an.

◯ 1. Bedingungen für einen Kredit
◯ 2. Eröffnung eines Girokontos
◯ 3. Gebühren für Überweisungen
◯ 4. Kosten für EC- und Kreditkarte
◯ 5. Zinsen, die die Kundin für ihr Geld bekommt
◯ 6. Zinsen, die die Kundin zahlt, wenn sie im Minus ist
◯ 7. Telefon-Banking
◯ 8. Online-Banking

87 3 Hören Sie noch einmal. Was ist richtig? Kreuzen Sie an.

1. Die Kundin möchte
◯ a) ein Konto eröffnen.
◯ b) sich beraten lassen, weil sie möglicherweise ein Konto eröffnen möchte.
◯ c) eine Kreditkarte beantragen.

2. Die Kundin interessiert sich für
◯ a) ein Sparkonto für Jugendliche.
◯ b) ein Girokonto für Erwachsene bis 28.
◯ c) ein Girokonto für Erwachsene ab 29.

3. Die Kontoführungsgebühr
◯ a) beträgt 3,80 € im Jahr. Der Betrag wird im Dezember vom Konto abgebucht.
◯ b) beträgt 3,80 € im Monat. Man bezahlt im Dezember einmal für das ganze Jahr.
◯ c) beträgt 83€ im Jahr. Man zahlt monatlich einen kleinen Betrag.

4. Extrakosten entstehen durch
◯ a) Überweisungen, EC-Karte und Kreditkarte.
◯ b) eine Kreditkarte. Überweisungen und EC-Karte sind inklusive.
◯ c) EC- und Kreditkarte. Überweisungen sind gratis.

5. Wenn das Konto im Minus ist,
◯ a) zahlt man nur Zinsen, wenn man mehr als 10.000€ Schulden hat.
◯ b) zahlt man 7% Zinsen. Über 10.000€ wird es noch mehr.
◯ c) zahlt man 10% Zinsen, wenn man mehr als 7.000€ Schulden hat.

6. Man kann seine Bankgeschäfte
◯ a) ohne zusätzliche Anmeldung auch telefonisch oder online abschließen.
◯ b) nur dann telefonisch abschließen, wenn man Telefonbanking hat.
◯ c) nur abschließen, wenn man sich das Online-Banking einrichten lässt.

88 4 Wofür entscheidet sich Frau Zielinski? Hören Sie und kreuzen Sie an.

Frau Zielinski entscheidet sich für

1. ◯ a) ein privates Konto. ◯ b) ein geschäftliches Konto.
2. ◯ a) ein Gemeinschaftskonto. ◯ b) ein Einzelkonto.
3. ◯ a) eine normale Kreditkarte. ◯ b) eine Gold-Kreditkarte.
4. ◯ a) das Online-Banking. ◯ b) ein Konto ohne Online-Banking.

88 5 Hören Sie noch einmal. Was erklärt Herr Ngufor? Kreuzen Sie an.

1. Eine TAN
   ◯ a) ist eine Nummer, mit der man sich beim Online-Banking einloggen kann.
   ◯ b) ist eine Nummer, mit der man ein bestimmtes Bankgeschäft online abschließt.
2. Um sich beim Online-Banking einloggen zu können,
   ◯ a) braucht Frau Zielinski Daten aus zwei verschiedenen Briefen, die mit der Post kommen.
   ◯ b) muss sich Frau Zielinski zuerst online registrieren.
3. In einem anderen Land steuerpflichtig zu sein bedeutet,
   ◯ a) dass man im Ausland Steuern zahlen muss.
   ◯ b) dass man teilweise im Ausland arbeitet.
4. Wenn Frau Zielinski mit der EC-Karte Geld abheben möchte,
   ◯ a) zahlt sie eine Gebührt von 2% oder mindestens 5€.
   ◯ b) zahlt sie bei bestimmten Banken keine Gebühr.

89 6 Hören Sie. Was muss Frau Zielinski unterschreiben? Kreuzen Sie an.

◯ 1. die Erklärung über die Richtigkeit ihrer Daten
◯ 2. den Vertrag
◯ 3. das SEPA-Lastschriftmandat
◯ 4. die Erklärung, dass sie mit den Kontoführungsgebühren einverstanden ist
◯ 5. die Datenschutzerklärung
◯ 6. die Erklärung zur Datenübermittlung an die SCHUFA

89 7 Hören Sie noch einmal. Welches Wort aus 6 passt? Ergänzen Sie.

1. Die ______________________ ist ein Unternehmen, bei dem sich Anbieter von Kaufverträgen über die Kunden informieren können. Es geht dabei um die Zahlungsfähigkeit der Kunden und darum, ob sie offene Schulden haben. Wenn man ein Bankkonto eröffnet, muss man unterschreiben, dass die Bank diese Daten übermitteln darf.
2. Ein ______________________ unterschreibt man, wenn man einem Unternehmen, zum Beispiel einer Bank, erlauben möchte, bestimmte Beträge vom Konto abzubuchen.
3. Eine ______________________ unterschreibt man, damit ein Unternehmen die eigenen Daten verarbeiten darf.

8 Lesen Sie die Notizen. Hören Sie dann und führen Sie ein Gespräch in einer Bank. Notieren Sie die Antworten auf Ihre Fragen.

Begrüßen Sie den Bankangestellten und sagen Sie, dass Sie sich über ein Konto informieren möchten.

> Guten Tag. Ich würde mich gern …

Sie möchten ein privates Girokonto für sich allein. Beantworten Sie die Fragen des Bankangestellten.

> Ich hätte gern …

> Privat./Geschäftlich.

> Für …

Sie haben sich schon über die Bedingungen eines Girokontos erkundigt, aber einiges ist Ihnen noch nicht ganz klar. Fragen Sie nach folgenden Punkten und notieren Sie die Antworten:

> Ja, ich habe … Aber ich hätte noch ein paar Fragen.

1. Kontoführungsgebühren ______
2. Gebühren für Überweisungen ______
3. Zinsen für den Dispokredit ______
______
______
4. Kosten für eine EC-Karte ______
5. Kosten für eine normale Kreditkarte ______
6. Banken, bei denen Sie kostenlos Geld abheben können
______

> Wie hoch …?

> Und wie hoch sind die Gebühren für …?

> Wie hoch sind die Zinsen …?

> Was kostet …?

> Und eine …?

> Bei welchen Banken …?

Sagen Sie, dass Sie das Konto gern gleich eröffnen würden.

> Wenn es geht, würde ich …

Beantworten Sie weitere Fragen des Bankangestellten:

Sie haben Ihren Ausweis dabei.

> Ja, den habe ich …

Sie möchten Online-Banking machen.

> Ja, …

9 Wie ist das in Ihrem Heimatland? Lesen Sie die Fragen und antworten Sie. Die Satzanfänge helfen Ihnen.

1. Welche Dokumente benötigen Sie, um ein Konto zu eröffnen?

> Um in … ein Konto zu eröffnen, braucht man …

2. Online-Banking, Telefonbanking, persönliche Besuche der Bank: Wie erledigt man Ihrem Heimatland seine Bankgeschäfte? Welche Möglichkeiten nutzen Sie selbst?

> Die meisten Leute nutzen für Ihre Bankgeschäfte …

> Ich selbst erledige meine Bankgeschäfte meist …

3. Wie überprüft die Bank in Ihrem Heimatland die Zahlungsfähigkeit der Kunden? Gibt es etwas Ähnliches wie die SCHUFA?

> In … gibt es …

2 Bald nur noch bargeldlos?

91 1 Hören Sie den Beginn einer Radiosendung. Über welche Themen spricht die Journalistin? Kreuzen Sie an.

- ◯ 1. Die Einführung des Euro
- ◯ 2. Girokonten in Europa
- ◯ 3. Bezahlen im Ausland früher und heute
- ◯ 4. Bargeldloses Bezahlen
- ◯ 5. Die Vorteile von Bargeld

91 2 Hören Sie noch einmal. Was ist richtig? Kreuzen Sie an.

1. Womit hat man in Deutschland vor 2002 bezahlt?
   - ◯ a) Mit dem Euro und Pfennig.
   - ◯ b) Mit D-Mark und Pfennig.
   - ◯ c) Mit D-Mark und Cent.

2. Wie haben die Menschen auf die Umstellung zum Euro reagiert?
   - ◯ a) Viele haben gehofft, dass die Produkte in Zukunft nur noch halb so viel kosten.
   - ◯ b) Viele wollten ihr Geld nicht umtauschen.
   - ◯ c) Viele hatten Angst, dass die Preise steigen.

3. Wie hat man früher im Ausland bezahlt?
   - ◯ a) Man ist an einen Geldautomaten gegangen und hat Geld abgehoben.
   - ◯ b) Man musste Geld wechseln oder Schecks mitnehmen.
   - ◯ c) In Europa konnte man schon immer problemlos in D-Mark zahlen.

4. Was ist der aktuelle Trend?
   - ◯ a) Bezahlen mit der Kreditkarte.
   - ◯ b) Bezahlen mit Bargeld.
   - ◯ c) Mobiles, digitales Bezahlen.

5. Kann man in Deutschland gut ohne Bargeld bezahlen?
   - ◯ a) Ja, das ist ganz problemlos überall möglich.
   - ◯ b) Die Kunden möchten gern bargeldlos zahlen, aber oft fehlt dazu die nötige Technik.
   - ◯ c) Kunden und Anbieter nutzen nicht oft bargeldlose oder digitale Zahlungsmethoden.

92 **3 Wer sagt das? Hören Sie verschiedene Meinungen und verbinden Sie.**

1. Person A _____ a) ist aus sozialen Gründen für Bargeld.
2. Person B _____ b) ist aus Gründen des Datenschutzes für Bargeld.
3. Person C _____ c) vergleicht technischen und gesellschaftlichen Fortschritt.
4. Person D _____ d) findet bargeldloses Bezahlen fortschrittlich.
5. Person E _____ e) findet bargeldlose Zahlungsarten sauberer und gesünder.
6. Person F _____ f) findet bargeldloses Bezahlen bequemer.

92 **4 Hören Sie noch einmal. Welche Wörter fehlen? Ergänzen Sie.**

A

In Schweden oder England hält man einfach kurz seine Karte neben das (1) ______________________________ ______________________. So wird die Zukunft aussehen, und ich würde mir wünschen, dass wir in Deutschland auch bald mehr moderne (2) ______________________________ haben.

B

Das Bezahlen mit dem Smartphone (3) ______________________. Für viele ist das praktisch. Aber es gibt ja immer noch Leute, die kein Smartphone haben. […] Ohne (4) ______________________ wird es also schwieriger für diejenigen, die es jetzt schon nicht gerade leicht haben.

C

Die (5) ______________________ sind immerhin aus Metall, das ist einigermaßen hygienisch. Da können (6) ______________________ nicht so gut überleben, und man bekommt keine Krankheiten. Aber (7) ______________________? Ich weiß nicht.

D

Ich muss nicht (8) ______________________________, ob ich genug Geld dabeihabe. Das (9) ______________________ sammelt sich nicht in meinem Portemonnaie. Und ich muss nicht mehr selber rechnen, wenn ich bezahle.

E

Nur, wenn ich mit meiner EC-Karte zum (10) ______________________ gehe und Geld abhebe, entstehen Daten. Aber was ich für mein Geld kaufe, kann nicht (11) ______________________ ______________________.

F

Nur, weil etwas technisch neu ist und (12) ______________________________, heißt das doch nicht, dass es ein Fortschritt für die Gesellschaft ist. (13) ______________________________ bedeutet für mich etwas anderes.

5 Wie ist Ihre Meinung zum Bargeld? Machen Sie Notizen. Erzählen Sie dann, ähnlich wie in Track 92.

___

___

___

6 Wie bezahlt man in Ihrem Land? Wie hat man früher bezahlt? Wie ist Ihre Meinung dazu? Ergänzen Sie die Mindmap mit Ihren Ideen.

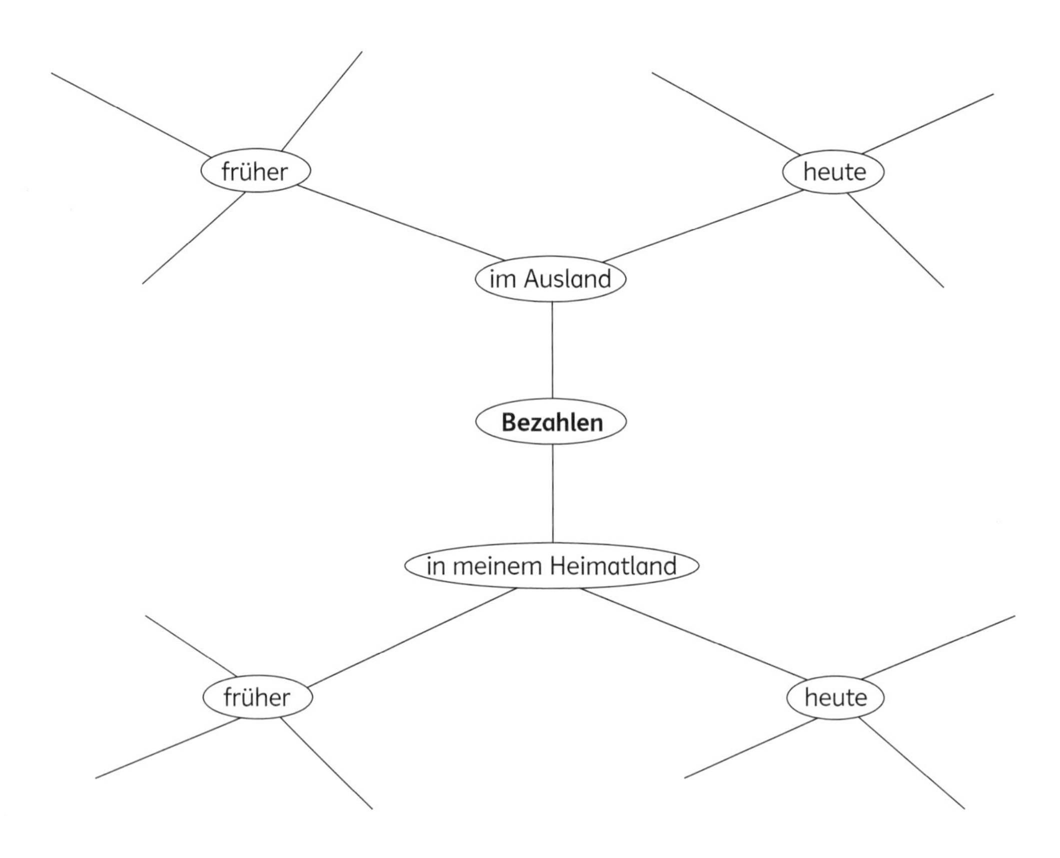

7 Lesen Sie die Fragen einer Journalistin. Antworten Sie dann.

Wie bezahlt man heutzutage in Ihrem Heimatland?

Was war früher anders? Woran erinnern Sie sich? Wie haben Sie früher im In- und Ausland bezahlt?

Wie zahlen Sie am liebsten? Warum? (bar, mit Karte, kontaktlos, mit einer App)

Was glauben Sie, wie sich das Bezahlen in Zukunft verändert?

Wie ist Ihre Meinung zu den aktuellen Entwicklungen?

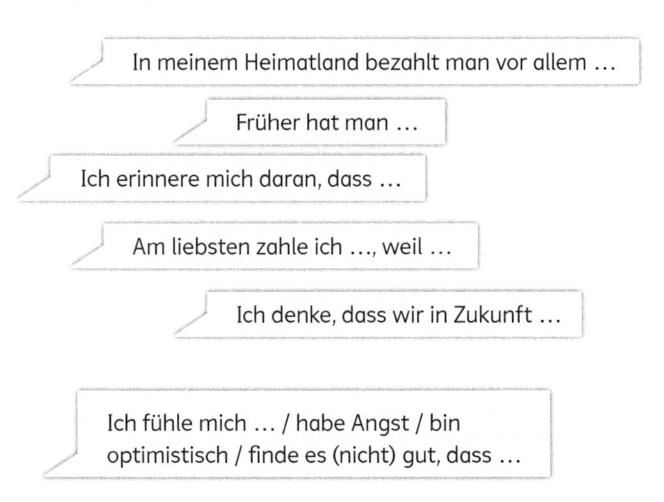

12 Zukunft

1 Wie stellen Sie sich Ihre berufliche Zukunft vor?

93 1 Welche Pläne haben die jungen Leute?

a Hören Sie und ergänzen Sie die Profile.

Malte Wegers

1. Ausbildung zum ______
2. Schulabschluss ______
3. Plan für die Zukunft ______
4. Er möchte auf keinen Fall ______

Serap Akgül

5. Studium ______
6. Schulabschluss ______
7. Plan für die Zukunft ______
8. Sie möchte auf keinen Fall ______

Mladen Todorov

9. Beruf ______
10. Schulabschluss ______
11. Plan für die Zukunft ______
12. Er möchte auf keinen Fall ______

b Hören Sie noch einmal und ergänzen Sie.

1. Als Kind war mein Traumberuf Tierarzt, aber dafür muss man studieren. Und ich ______ ______, das Abitur zu machen.
2. Eines würde ich auf jeden Fall niemals tun, und zwar in einem Labor arbeiten. Aber im Zoo, im Tierheim oder beim Tierarzt, das ______ ______.
3. Aber mein Traum, Ärztin zu werden, ist die Mühe auf jeden Fall wert. ______ ______ später als Hausärztin arbeiten.
4. Da kennt man seine Patientinnen und Patienten persönlich und das ist mir wichtig. ______ ______, das wäre die Notaufnahme einer großen Klinik in der Stadt.
5. Für die Zukunft wünsche ich mir natürlich, auf vielen berühmten Bühnen zu tanzen! ______ ______, so lange wie möglich als Tänzer zu arbeiten.
6. Viele, die nicht mehr auf der Bühne stehen und tanzen, geben später Ballettunterricht. Aber ______ ______.

94 2 Wer sagt was? Hören Sie und kreuzen Sie an.

	Malte	Serap	Mladen
1. Meine Eltern haben immer an mich geglaubt.	◯	◯	◯
2. Meine Eltern mussten sehr früh eine Entscheidung treffen.	◯	◯	◯
3. Meine Eltern wollten eigentlich, dass ich ihren Laden übernehme.	◯	◯	◯
4. Mit meiner zweiten Ausbildung bin ich viel glücklicher.	◯	◯	◯
5. In der Schule dachte niemand, dass ich Abitur machen würde.	◯	◯	◯
6. Ich habe in der Schule Menschen getroffen, die mir ähnlich waren.	◯	◯	◯

94 3 Warum benutzt man hier das Futur I? Hören Sie noch einmal und verbinden Sie.

TIPP Wenn man über die Zukunft spricht, verwendet man normalerweise das Präsens. Nur in bestimmten Fällen verwendet man das Futur I, zum Beispiel für Prognosen, Versprechen und feste Entscheidungen oder Entschlüsse.

1. Ich werde mir etwas anderes suchen. _____ a) eine Prognose
2. Ihr werdet schon sehen. _____ b) ein Versprechen
3. Ich werde euch nicht enttäuschen. _____ c) ein Entschluss, eine Entscheidung

95 4 Was ist richtig? Hören Sie und kreuzen Sie an.

1. Wie stellt sich Malte seine berufliche Zukunft vor?
   - ◯ a) Er möchte weiterhin im Zoo arbeiten.
   - ◯ b) Er möchte später in anderen Zoos arbeiten.
2. Welche Weiterbildungen plant Malte?
   - ◯ a) Er möchte eine zweite Ausbildung machen, damit er in einem Wildpark arbeiten kann.
   - ◯ b) Er möchte eine Meisterprüfung machen und selbst Auszubildende betreuen.
3. Wo möchte Serap ihre Praxis eröffnen?
   - ◯ a) In der Stadt, weil die Bedingungen dort besser sind.
   - ◯ b) Auf dem Land, weil die Arbeit dort persönlicher ist.
4. Wer ist Seraps Vorbild?
   - ◯ a) Ihre Großeltern, die auch beide Ärzte waren.
   - ◯ b) Der Hausarzt ihrer Familie, der die ganze Familie kennt.
5. Wie lange, schätzt Mladen, kann er noch aktiv tanzen?
   - ◯ a) Etwa 15 Jahre lang, wenn er sich nicht verletzt.
   - ◯ b) Er hat eine Verletzung und kann wahrscheinlich nur noch 5 Jahre lang tanzen.
6. Was möchte Mladen nach seiner Karriere als aktiver Tänzer machen?
   - ◯ a) Er möchte hinter der Bühne als Choreograf arbeiten.
   - ◯ b) Er möchte Kostüme gestalten.

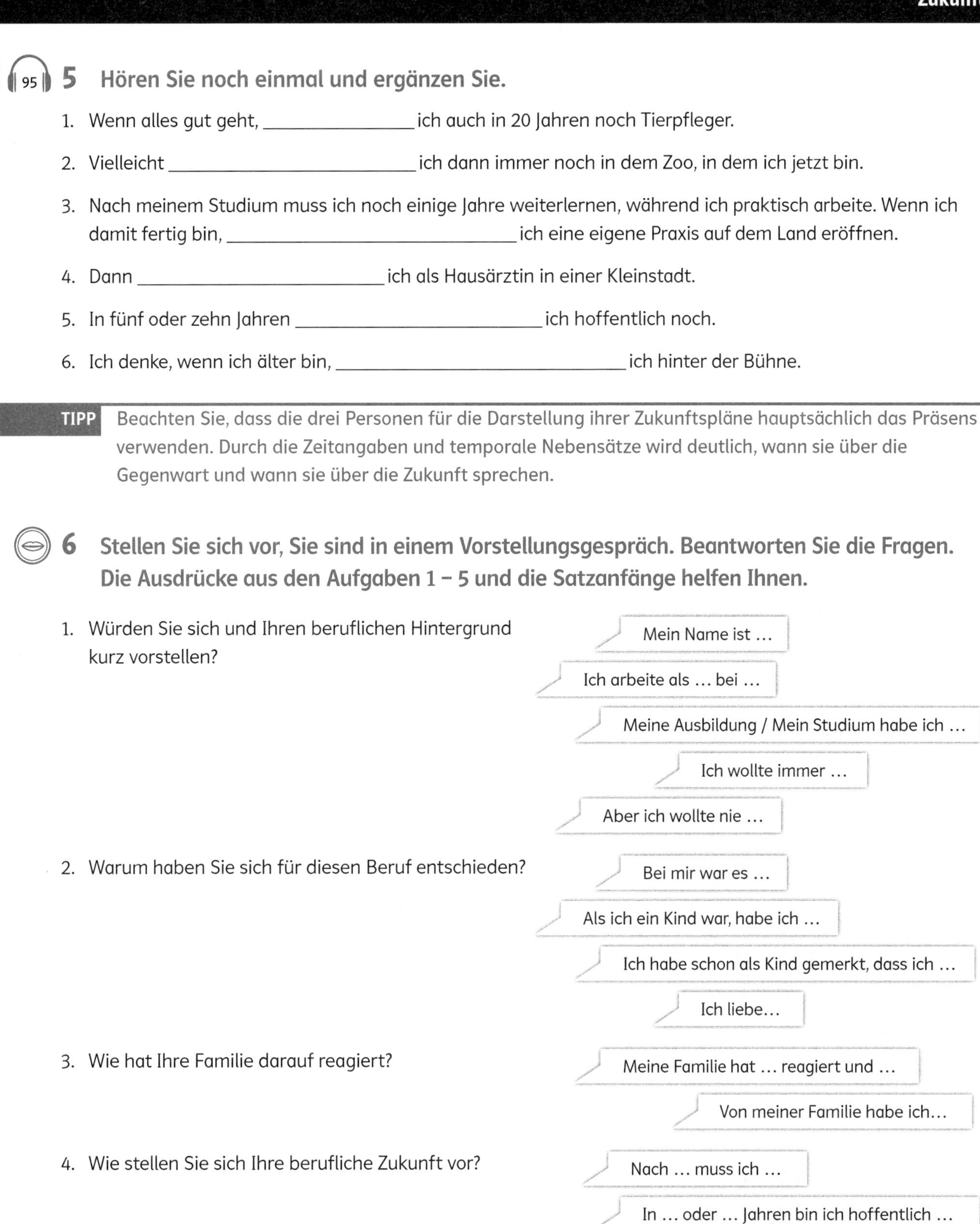

95 5 Hören Sie noch einmal und ergänzen Sie.

1. Wenn alles gut geht, ________________ ich auch in 20 Jahren noch Tierpfleger.
2. Vielleicht __________________________ ich dann immer noch in dem Zoo, in dem ich jetzt bin.
3. Nach meinem Studium muss ich noch einige Jahre weiterlernen, während ich praktisch arbeite. Wenn ich damit fertig bin, ______________________________ ich eine eigene Praxis auf dem Land eröffnen.
4. Dann __________________________ ich als Hausärztin in einer Kleinstadt.
5. In fünf oder zehn Jahren __________________________ ich hoffentlich noch.
6. Ich denke, wenn ich älter bin, ______________________________ ich hinter der Bühne.

TIPP Beachten Sie, dass die drei Personen für die Darstellung ihrer Zukunftspläne hauptsächlich das Präsens verwenden. Durch die Zeitangaben und temporale Nebensätze wird deutlich, wann sie über die Gegenwart und wann sie über die Zukunft sprechen.

6 Stellen Sie sich vor, Sie sind in einem Vorstellungsgespräch. Beantworten Sie die Fragen. Die Ausdrücke aus den Aufgaben 1 – 5 und die Satzanfänge helfen Ihnen.

1. Würden Sie sich und Ihren beruflichen Hintergrund kurz vorstellen?
   - Mein Name ist …
   - Ich arbeite als … bei …
   - Meine Ausbildung / Mein Studium habe ich …
   - Ich wollte immer …
   - Aber ich wollte nie …
2. Warum haben Sie sich für diesen Beruf entschieden?
   - Bei mir war es …
   - Als ich ein Kind war, habe ich …
   - Ich habe schon als Kind gemerkt, dass ich …
   - Ich liebe…
3. Wie hat Ihre Familie darauf reagiert?
   - Meine Familie hat … reagiert und …
   - Von meiner Familie habe ich…
4. Wie stellen Sie sich Ihre berufliche Zukunft vor?
   - Nach … muss ich …
   - In … oder … Jahren bin ich hoffentlich …
   - Ich könnte mir vorstellen, später als … zu arbeiten und …

2 Was für eine Welt werden wir unseren Kindern hinterlassen?

96 1 Worum geht es? Hören Sie die Einführung zu einem Podcast und kreuzen Sie an.

1. In dem Podcast geht es um
   - ◯ a) berühmte Wissenschaftler
   - ◯ b) neue Forschungsergebnisse.
2. In der aktuellen Folge geht es um
   - ◯ a) neue Methoden in der Wissenschaft
   - ◯ b) gesellschaftliche Trends für die Zukunft.
3. Max und Schirin möchten
   - ◯ a) ganz verschiedene Aspekte des Themas ‚Zukunft' behandeln
   - ◯ b) die wichtigsten Wissenschaftlerinnen und Wissenschaftler zu Wort kommen lassen.

2 Soziales Miteinander.

97 a Hören Sie den Beitrag zum Thema 'Soziales Miteinander'. Was ist richtig? Kreuzen Sie an.

1. Die Menschen sind heutzutage
   - ◯ a) mobiler als früher und verlassen häufig ihren Geburtsort.
   - ◯ b) die meiste Zeit in der Stadt. Wenn sie in Rente gehen, ziehen sie häufig zurück an ihren Geburtsort.
2. Die Städte
   - ◯ a) verlieren an Bedeutung. Das Landleben ist der Megatrend der Zukunft.
   - ◯ b) gewinnen an Bedeutung. Gleichzeitig gibt es aber auch junge Menschen, die aufs Land ziehen.
3. Die oder der Einzelne
   - ◯ a) wird immer unwichtiger. Netzwerke haben eine große Zukunft.
   - ◯ b) wird seit langer Zeit immer wichtiger. Die Menschen wählen ihre Netzwerke individuell.
4. Das Geschlecht
   - ◯ a) wird wichtiger. ◯ b) wird flexibler.

97 b Hören Sie noch einmal. Welche Funktion hat das Verb *werden* im Satz? Kreuzen Sie an.

	Futur	Prozess	Passiv
1. Wie wird das Zusammenleben im nächsten Jahrhundert aussehen?	◯	◯	◯
2. Es wird immer teurer, in den Städten zu leben.	◯	◯	◯
3. Das Landleben wird für jüngere Menschen langsam wieder interessanter.	◯	◯	◯
4. Dafür wird es zukünftig noch mehr digitale Möglichkeiten geben.	◯	◯	◯
5. Das Geschlecht wird ganz individuell erlebt und gestaltet.	◯	◯	◯
6. Viele Forscher meinen, dass diese Entwicklung unsere Wirtschaft und unsere Gesellschaft noch weiter verändern wird.	◯	◯	◯

TIPP In komplexen Sätzen ist es manchmal schwierig, die Funktion des Verbs *werden* zu erkennen. Denken Sie daran: *werden* + Infinitiv = Futur. *werden* ohne weiteres Verb bezeichnet einen Prozess. *werden* + Partizip = Passiv.

3 Arbeit und Beruf

98 **a Hören Sie den Beitrag zum Thema 'Arbeit' Was stimmt nicht? Markieren Sie und korrigieren Sie dann.**

	Korrektur
1. In Deutschland gibt es immer ~~mehr~~ Arbeitsplätze in der Produktion.	weniger
2. Viele junge Leute möchten in sinnvollen, praktischen Berufen arbeiten.	______
3. Die neuen Berufsfelder beeinflussen den Alltag und das Berufsleben.	______
4. Die neue Flexibilität hat besonders für Männer auch Nachteile.	______

98 **b Hören Sie noch einmal. Was passt zusammen? Ordnen Sie zu.**

1. Die Arbeitswelt verändert sich, _____ a) weil sie Sinn und Freiheit bieten.
2. Kreative Berufsfelder sind interessant, _____ b) weil mehr Flexibilität erwartet wird.
3. Der Feierabend ist in Gefahr, _____ c) weil Influencerinnen und Influencer ständig für ihre Fans da sein wollen.
4. Das Privatleben wird vermarktet, _____ d) weil viele Menschen versuchen, gleichzeitig andere Arbeiten zu erledigen.
5. Homeoffice kann sehr anstrengend sein, _____ e) weil viele Arbeiten im Ausland oder von Computern gemacht werden.

4 Unsere Umwelt

99 **a Richtig oder falsch? Hören Sie den Beitrag zum Thema 'Umwelt' und kreuzen Sie an.**

	richtig	falsch
1. In der Frage, ob die Menschen die Umwelt schon zerstört haben oder ob sie sie noch retten können, sind sich die Forscherinnen und Forscher einig.	○	○
2. Eine Studie von 1972 hat gezeigt, dass die Wirtschaft nicht unendlich weiterwachsen kann.	○	○
3. Viele Unternehmen meinen, dass grüne Technologien und grünes Wachstum unsere Hoffnung sind.	○	○
4. Die Wissenschaft bestätigt die Meinung dieser Unternehmen.	○	○
5. Einige Wissenschaftlerinnen und Wissenschaftler fordern ein Wirtschaftsmodell ohne ständiges Wachstum.	○	○
6. Die Industrie versucht, ein neues Wirtschaftsmodell zu schaffen.	○	○

99 **b Hören Sie noch einmal und ergänzen Sie die Wörter.**

Wie können wir so (1) ______________________ und leben, dass wir unseren Planeten nicht zerstören? [...]
Bis in die 60er und frühen 70er Jahre dachte man, dass es am besten ist, wenn die Wirtschaft einfach immer
(2) ______________________ ______________________. [...]

Öl, Wasser und andere Ressourcen sind (3) ______________________, darum kann auch das wirtschaftliche Wachstum nicht endlos weitergehen. Das Problem ist aber, dass unser
(4) ______________________ nur dann funktioniert, wenn weite Bereiche dauernd weiterwachsen. Daher gibt es heutzutage viele Unternehmen, die sich auf (5) ______________________ Technologien konzentrieren. [...]

Grenzenloses Wachstum kann nicht grün sein. Elektrische Autos brauchen (6) ______________________ und sie müssen produziert und (7) ______________________ werden. So gesehen ist ein ganz neues Wirtschaftssystem (8) ______________________, das ohne dieses permanente Wachstum läuft. Dabei geht es unter anderem darum, Dinge zu (9) ______________________, zu leihen oder zu reparieren.

Aktuell geht der (10) ______________________ aber gerade bei den großen Unternehmen genau in die andere (11) ______________________: Elektrogeräte oder Autos gehen schnell kaputt und lassen sich dann meist gar nicht mehr (12) ______________________. Ein Konto bei einem Video-Streaming-Dienst kann man nicht (13) ______________________ wie eine DVD. Und viele Leute wollen sich keine Geräte mit ihren (14) ______________________ teilen, sondern kaufen sie lieber selbst.

5 Eine Präsentation halten. Wie stellen Sie sich die Zukunft vor? Wählen Sie drei Themen aus dem Kasten und bereiten Sie eine kleine Präsentation vor. Die Wörter und Ausdrücke aus den Übungen 1-4 und die Satzanfänge helfen Ihnen.

Wissen und Bildung	Gesundheit und Alter	Sicherheit	Digitalisierung	Umwelt
Arbeit	Familie	Heimat	Wirtschaft	

Stellen Sie das Thema vor.	Guten Tag, mein Name ist ... und ich spreche heute über ...
Erklären Sie Inhalt und Struktur Ihrer Präsentation	Dabei geht es zuerst um ..., dann um ... und zuletzt um ...
Berichten Sie über Thema 1.	Mein erstes Thema ist ...
Berichten Sie über Thema 2.	Dann komme ich zu Thema 2: ...
Berichten Sie über Thema 3.	Zum Schluss möchte ich noch etwas über ... sagen: ...
Beenden Sie die Präsentation und bedanken Sie sich bei den Zuhörerinnen und Zuhörern.	Damit bin ich schon am Ende meiner Präsentation. Vielen Dank fürs Zuhören.

TIPP In einigen B1-Prüfungen müssen Sie eine Präsentation halten. Lernen Sie dafür die Ausdrücke in den Sprechblasen auswendig.

13 Deutschtest für Zuwanderer

Hören

Teil 1

Sie hören vier Ansagen. Zu jeder Ansage gibt es eine Aufgabe. Welche Antwort (a, b oder c) passt am besten? Markieren Sie Ihre Lösungen für die Aufgaben 1 bis 4 auf dem Antwortbogen.

Beispiel

Was soll Frau Herzl tun?

a Die Grafikkarte ihres Computers auswechseln.
b Die Firma zurückrufen.
c Ihren Computer am nächsten Tag abholen.

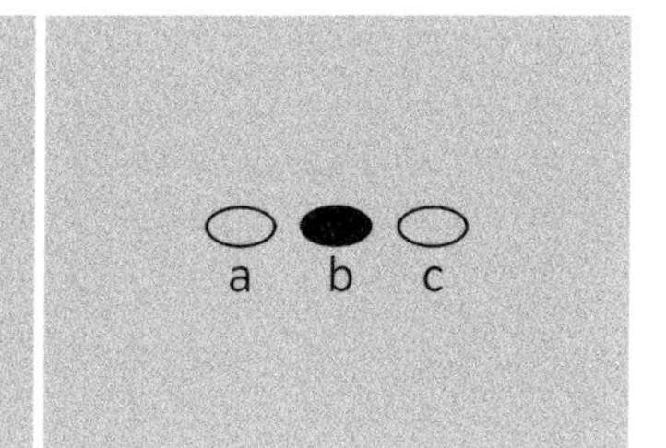

1 Was fragt Astrid?
a Ob Kathi am nächsten Tag zur Arbeit kommen kann.
b Ob Kathi gehört hat, wie es Martin geht.
c Ob Kathi die anderen fragen kann.

2 Was soll der Autobesitzer machen?
a Auf einen Parkplatz fahren.
b Waren liefern.
c Das Parkverbot verlassen.

3 Was soll Herr Siebert machen?
a Am 3. Juli um 8 Uhr im Hof sein.
b Den Müll in den Hof stellen.
c Seinen Müll abholen.

4 Wohin soll Herr Michel kommen?
a Zum Klassenlehrer.
b Ins Krankenzimmer zu Frau Knopp.
c Ins Sekretariat der Schule.

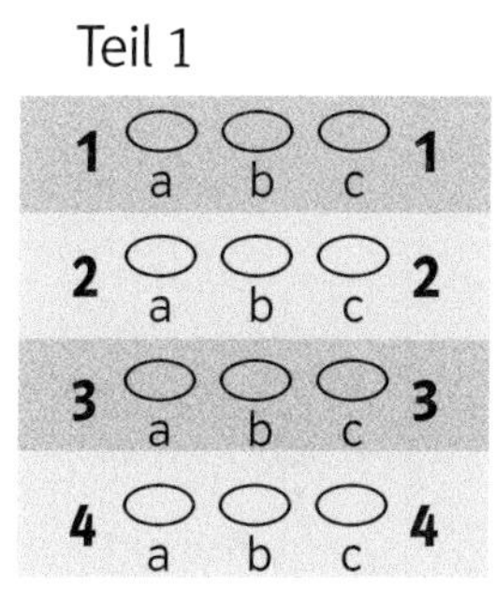

TIPP Beim DTZ malen Sie die Felder auf dem Antwortbogen an wie im Beispiel. Kreuzen Sie die Felder nicht an und verwenden Sie nur einen Bleistift. Sonst kann es Probleme mit der automatischen Auswertung geben.

Teil 2

Sie hören fünf Ansagen aus dem Radio. Zu jeder Ansage gibt es eine Aufgabe. Welche Lösung (a, b oder c) passt am besten? Markieren Sie Ihre Lösungen für die Aufgaben 5 bis 9 auf dem Antwortbogen.

5 Der Sturm
a ist nur in Norddeutschland.
b zieht von Süden nach Norden.
c zieht von Norden nach Süden.

6 Es gibt noch Eintrittskarten für
a einen Gitarrenkurs in Priegnitz.
b ein viertägiges Musikfestival.
c ein Konzert auf einem Campingplatz.

7 Wegen des Wetters
a fahren viele Züge nicht oder haben Verspätung.
b weiß die Deutsche Bahn nicht, wann die Züge wieder fahren.
c soll man lieber mit dem Zug als mit dem Auto fahren.

8 In der Sendung zum Thema Schlaf
a gibt es ein Interview mit einer Expertin.
b sollen die Zuhörerinnen und Zuhörer anrufen.
c ist das Thema Ernährung besonders wichtig.

9 Das Fußballspiel hat
a der FC Trennewurth gewonnen.
b der FC Marnerdeich gewonnen.
c das Team aus Kiel gewonnen.

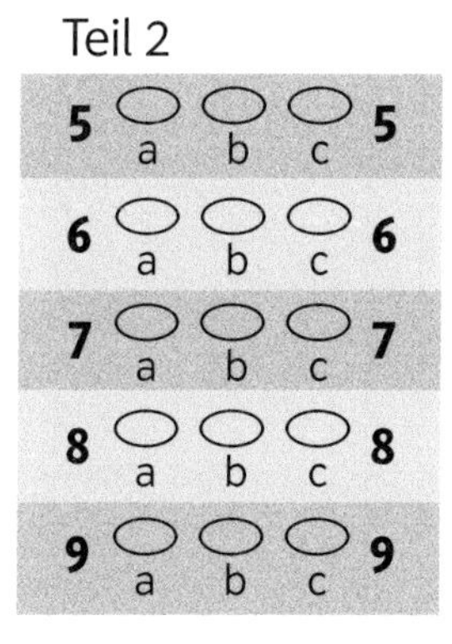

Teil 3

Sie hören vier Dialoge. Zu jedem Dialog gibt es zwei Aufgaben. Überlegen Sie bei jedem Dialog zunächst, ob die Aussage dazu richtig oder falsch ist und welche Antwort (a, b oder c) am besten passt. Markieren Sie Ihre Lösungen für die Aufgaben 10–17 auf dem Antwortbogen.

Beispiel

Herr Wolf sucht den Autoschlüssel.

a Er hängt an seinem Platz.
b Er ist in Frau Changs Hosentasche.
c Er ist bei Herrn Wolf auf dem Schreibtisch.

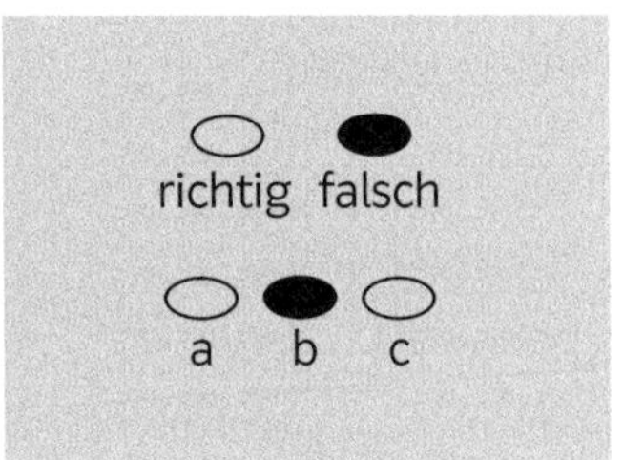

10 Herr Nasser lässt sich über Impfungen beraten.

11 Wohin muss Herr Nasser gehen, um sich gegen Gelbfieber impfen zu lassen?
a Er muss einen neuen Termin bei Dr. Specht machen.
b Er bekommt die Impfung in Kamerun.
c Er muss zu einem Experten für Tropenmedizin gehen.

12 Frau Mbeki möchte ihre Tochter in der Schule anmelden.

13 Was ist der Grund für ihre Entscheidung?
a Ein kürzerer Schulweg.
b Die Qualität der Schule.
c Samira gefällt die andere Schule besser.

14 Herr Nur bewirbt sich als Schuhverkäufer.

15 Wo hat Herr Nur von 2002 bis 2010 gearbeitet?
a In einem Schuhgeschäft.
b In einem Supermarkt.
c Er war arbeitslos.

16 Anne erzählt von ihrem letzten Urlaub.

17 Warum kann Anne nicht in ihren Lieblingsmonaten verreisen?
a Weil ihre Kolleginnen und Kollegen in diesen Monaten Urlaub haben.
b Weil es dann in Italien zu heiß ist.
c Weil sie keinen Urlaub mehr hat.

Teil 3

10	○ richtig ○ falsch	**10**
11	○ a ○ b ○ c	**11**
12	○ richtig ○ falsch	**12**
13	○ a ○ b ○ c	**13**
14	○ richtig ○ falsch	**14**
15	○ a ○ b ○ c	**15**
16	○ richtig ○ falsch	**16**
17	○ a ○ b ○ c	**17**

Teil 4

Sie hören Aussagen zu einem Thema. Welcher der Sätze a–f passt zu den Aussagen 18–20? Markieren Sie Ihre Lösungen für die Aufgaben 18–20 auf dem Antwortbogen.

Lesen Sie jetzt die Sätze a–f. Dazu haben Sie eine Minute Zeit. Danach hören Sie die Aussagen.

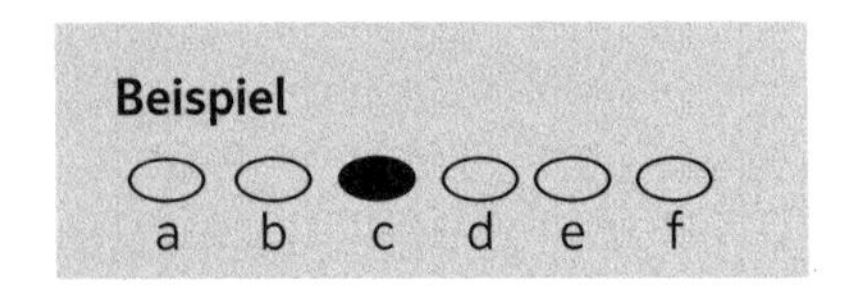

18 ...
19 ...
20 ...

a Mit kleinen Kindern kann es schwierig sein.
b Ich arbeite zwei Tage pro Woche von zu Hause aus.
~~c~~ Ein Arbeitszimmer hilft mir, Privates von Beruflichem zu trennen.
d Ich bin bei der Arbeit gern unterwegs.
e Ich bin froh, wenn ich nicht so viel fahren muss.
f Mir ist langweilig, wenn ich im Homeoffice bin.

Teil 4

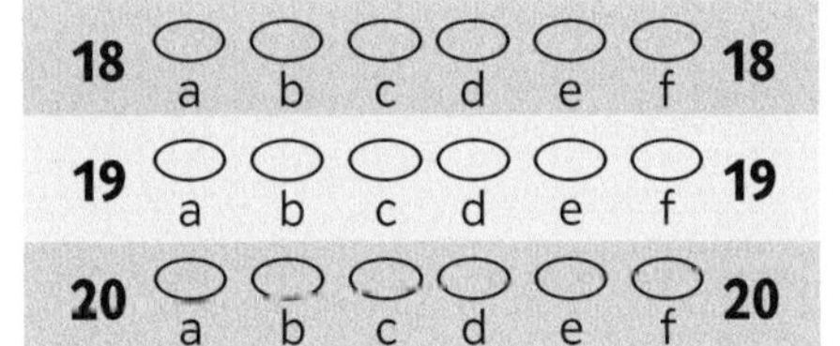

Sprechen

TIPP Folgende Aspekte sind bei der Bewertung wichtig: Inhalt (50%), Flüssigkeit (10%), Korrektheit (15%), Wortschatz (15%) und Aussprache (10%).

Für die Bewertung des **Inhalts** ist wichtig,
- was Sie sagen und
- wie Sie auf Ihre Partnerin oder Ihren Partner reagieren.

Flüssigkeit bedeutet, dass Sie
- keine langen Pausen machen, um Wörter zu suchen,
- Konnektoren verwenden, um die Sätze zu verbinden, und
- ruhig und gleichmäßig sprechen.

Bei der **Korrektheit** geht es um die Grammatik. Achten Sie vor allem auf
- die Satzstruktur,
- die Verbkonjugation und
- die Deklination der Substantive und Adjektive.

Beim **Wortschatz** ist es wichtig, dass Sie,
- Wörter verwenden, die Sie sicher beherrschen (Bedeutung und Grammatik),
- Redemittel richtig verwenden und
- unterschiedliche Wörter benutzen.

Bei der **Aussprache** sollten Sie auch auf die Intonation achten. Das bedeutet, dass Sie
- Fragen und Aussagen durch Intonation unterscheiden und
- die Sätze möglichst natürlich betonen.

TIPP Hören Sie vor der Übung die Ausschnitte aus einer Prüfung (Track 104-108). Lesen Sie auch die Anmerkungen dazu. Hinweis zur Bewertung dieser Prüfung: Inhalt, Flüssigkeit, Korrektheit und Wortschatz dieses Sprechers sind sehr gut. Ein kleiner Akzent ist allerdings zu hören.

Hier hören Sie, wie sich ein Teilnehmer vorstellt. Dieser Teil ist in jeder Prüfung sehr ähnlich. Sie können ihn gut vorbereiten.

Hier hören Sie, wie die Prüferin auf den Beitrag in Track 104 reagiert. Auch in Ihrer Prüfung wird die Prüferin oder der Prüfer Ihnen einige Fragen stellen.

Hier hören Sie, wie ein Teilnehmer ein Bild beschreibt.

Hier hören Sie, wie die Prüferin auf den Beitrag in Track 106 reagiert. Auch in Ihrer Prüfung wird die Prüferin oder der Prüfer Ihnen Fragen zu Ihren persönlichen Erfahrungen stellen.

Hier hören Sie, wie zwei Personen etwas miteinander planen. Normalerweise wird der Dialog von zwei Teilnehmern geführt. Wenn ein Teilnehmer übrig ist, gibt eine Einzelprüfung, das heißt: Einer der Prüfer übernimmt die Rolle des zweiten Kandidaten. Am besten üben Sie diesen Teil zu zweit. Wenn Sie allein üben, spielen Sie beide Personen. Wiederholen Sie hierfür die Ausdrücke für Vorschläge und Gegenvorschläge in Kapitel 4.1.

Teil 1 Über sich sprechen

Name	Geburtsort	Wohnort
Arbeit/Beruf	Familie	Sprachen

Das sagt die Prüferin oder der Prüfer:

- *Könnten Sie sich bitte kurz vorstellen?*
- *Erzählen Sie etwas über sich, damit wir Sie ein bisschen kennenlernen können.*

Teil 2 Über Erfahrungen sprechen

Partner A

Partner B

Das sagt die Prüferin oder der Prüfer:

Teil 2 A

Sie haben in einer Zeitschrift ein Bild gefunden. Beschreiben Sie das Bild:

- *Was sehen Sie?*
- *Was für eine Situation ist das?*

Teil 2 B

Erzählen Sie: Machen Sie auch Sport? Welche Erfahrungen haben Sie hier oder zu Hause damit gemacht?

Teil 3 Gemeinsam etwas planen

Situation: Eine Freundin oder ein Freund von Ihnen möchte umziehen. Die Person spricht wenig Deutsch und bittet Sie, den Umzug für sie zu planen.

Das sagt die Prüferin oder der Prüfer:

Lesen Sie die Notizen und planen Sie dann zusammen den Umzug.

Auto oder Transporter?
Freunde oder Helfer?
Möbel packen
Kartons
Termin
...?

14 Goethe-Zertifikat B1

Hören

Teil 1

Sie hören nun fünf kurze Texte. Sie hören jeden Text **zweimal**. Zu jedem Text lösen Sie zwei Aufgaben. Wählen Sie bei jeder Aufgabe die richtige Lösung.

Lesen Sie zuerst das Beispiel. Dazu haben Sie 10 Sekunden Zeit.

Beispiel

01 Die kleine Sandra hat ihre Familie gefunden. Richtig ~~Falsch~~

02 Wo sollen die Eltern hinkommen?

- [a] zur Kundeninformation in den ersten Stock.
- [b] zur Rolltreppe.
- [x] in den dritten Stock hinten links.

Text 1

1 Reisende nach Lichtenfels sollen den Zug nach Dresden nehmen. Richtig Falsch

2 Der Zug nach Leipzig fährt

- [a] um Viertel vor eins von Gleis 3.
- [b] um Viertel vor zwölf von Gleis 3.
- [c] um Viertel vor eins von Gleis 116.

Text 2

3 Auf der A1 gab es einen Unfall mit Radfahrern. Richtig Falsch

4 Die Radfahrer sind

- [a] bei der Abfahrt Münster Nord.
- [b] auf der A1 zwischen Münster und Osnabrück.
- [c] auf der Autobahn im Norden von Osnabrück.

Text 3

5 Die Temperaturen liegen in ganz Deutschland über 20°. Richtig Falsch

6 Regen

- [a] soll es in den nächsten Tagen viel geben.
- [b] gibt es vielleicht in der kommenden Woche.
- [c] hat es in der letzten Woche gegeben.

Text 4

7 Natalia sagt einen Museumsbesuch mit Nurcan ab. Richtig Falsch

8 Natalias Sohn

- [a] hat seit gestern Abend Fieber.
- [b] hat heute Morgen Fieber bekommen.
- [c] ist schon seit einer Woche krank.

Text 5

9 Der Temin findet morgen statt. Richtig Falsch

10 Herr Mohamadi soll

- [a] telefonisch einen neuen Termin machen.
- [b] schnell in die Klinik kommen.
- [c] in der Klinik einen neuen Termin machen.

TIPP Übertragen Sie die Antworten auf den Antwortbogen auf Seite 89. In der Prüfung übertragen Sie Ihre Antworten am Ende der Prüfung.

Teil 2

Sie hören nun einen Text. Sie hören den Text **einmal**. Dazu lösen Sie fünf Aufgaben. Wählen Sie bei jeder Aufgabe die richtige Lösung [a], [b] oder [c].
Lesen Sie jetzt die Aufgaben 11 bis 15. Dazu haben Sie 60 Sekunden Zeit.

Sie nehmen an einer Führung durch die historische Innenstadt von Rothenburg ob der Tauber in Bayern teil.

11 Die Stadt ist berühmt für
- [a] ihren Fluss.
- [b] die Mauern der Häuser.
- [c] ihre alten Gebäude.

12 Tauber ist der Name
- [a] der Landschaft um Rothenburg.
- [b] eines schönen Wanderwegs.
- [c] des Flusses.

13 Das Geld der Stadt kommt
- [a] aus dem Tourismus.
- [b] aus der Industrie.
- [c] aus den USA.

14 Im Zweiten Weltkrieg (1939 – 1945)
- [a] gab es keine Bombenangriffe.
- [b] haben Bomben 45% der Stadt zerstört.
- [c] haben viele Amerikaner in Rothenburg gewohnt.

15 Nach dem Krieg wollte man
- [a] die Stadt modern machen.
- [b] viele Museen bauen.
- [c] eine historische und gleichzeitig lebendige Stadt.

Teil 3

Sie hören nun ein Gespräch. Sie hören das Gespräch **einmal**. Dazu lösen Sie sieben Aufgaben. Wählen Sie: Sind die Aussagen [richtig] oder [falsch]?
Lesen Sie jetzt die Aufgaben 16 bis 22. Dazu haben Sie 60 Sekunden Zeit.

Sie sitzen im Zug und hören, wie sich auf den Sitzen hinter Ihnen ein Mann und eine Frau unterhalten.

16 Die Frau kennt die Kieler Woche gut. [Richtig] [Falsch]

17 Zur Kieler Woche gehen nur Leute, die sich für Schiffe interessieren. [Richtig] [Falsch]

18 Zur Kieler Woche sind in den Hotels viele Zimmer frei. [Richtig] [Falsch]

19 Die Schwester wohnt seit drei Monaten in Neumünster. [Richtig] [Falsch]

20 Die Schwester wohnt im Stadtzentrum. [Richtig] [Falsch]

21 In Schleswig-Holstein ist es feuchter und kälter als im Saarland. [Richtig] [Falsch]

22 Die Schwester hat erzählt, dass es abends länger hell ist. [Richtig] [Falsch]

Teil 4

Sie hören nun eine Diskussion. Sie hören die Diskussion **zweimal**. Dazu lösen Sie acht Aufgaben. Ordnen Sie die Aussagen zu: **Wer sagt was?** Lesen Sie jetzt die Aussagen 23 bis 30. Dazu haben Sie 60 Sekunden Zeit.

Der Moderator der Radiosendung „Meinungen" diskutiert mit seinen Gästen über die Frage: „Können wir mit gutem Gewissen Fleisch essen?" Die Gäste sind Kenan Hansen, seit 20 Jahren Vegetarier, und Maria Huber, Köchin in einem traditionellen Wirtshaus.

	Moderator	Kenan Hansen	Maria Huber
Beispiel **0** Tiere sollten nicht als Waren behandelt werden.	a	☒ b	c
23 Im Fernsehen sieht man Tiere, die sich kaum bewegen können, weil es sehr eng ist.	a	b	c
24 Probleme in der Fleischwirtschaft kann man durch Gesetze lösen.	a	b	c
25 Die Verantwortung liegt bei der Politik und beim Verbraucher.	a	b	c
26 In der ökologischen Fleischproduktion geht es den Tieren besser.	a	b	c
27 Wenn das Fleisch teurer wird, können es sich einige Menschen nicht mehr leisten.	a	b	c
28 Meine Blutwerte sind sehr gut, weil ich kein Fleisch esse.	a	b	c
29 Fleischkonsum hängt für viele Leute mit Genuss und Kultur zusammen.	a	b	c
30 Gewohnheiten lassen sich nicht so leicht ändern.	a	b	c

Teil 1							
1	Richtig	Falsch		7	Richtig	Falsch	
2	a	b	c	8	a	b	c
3	Richtig	Falsch		9	Richtig	Falsch	
4	a	b	c	10	a	b	c
5	Richtig	Falsch					
6	a	b	c				

Teil 2			
11	a	b	c
12	a	b	c
13	a	b	c
14	a	b	c
15	a	b	c
6	a	b	c

Teil 3		
16	Richtig	Falsch
17	Richtig	Falsch
18	Richtig	Falsch
19	Richtig	Falsch
20	Richtig	Falsch
21	Richtig	Falsch
22	Richtig	Falsch

Teil 4			
23	a	b	c
24	a	b	c
25	a	b	c
26	a	b	c
27	a	b	c
28	a	b	c
29	a	b	c
30	a	b	c

TIPP In der Prüfung haben Sie am Ende 5 Minuten Zeit, Ihre Ergebnisse auf den Antwortbogen zu übertragen.

Sprechen

Beim Prüfungsteil Sprechen sollen Sie sich zuerst kurz vorstellen. Dieser Teil ist nur dazu da, dass sie sich ein bisschen an die Prüfungssituation gewöhnen. Er wird nicht gewertet.
Danach gibt es **drei Aufgaben**.
In Aufgabe 1 **planen** Sie etwas zusammen mit einer Partnerin oder einem Partner.
In Aufgabe 2 **präsentieren** Sie ein Thema.
In Aufgabe 3 **reagieren** Sie auf die Präsentation Ihrer Partnerin oder Ihres Partners.

Die drei Aufgaben werden etwas unterschiedlich bewertet:

In allen drei Aufgaben werden der **Inhalt** und die **Aussprache** bewertet, d. h.:
- Haben Sie über alle angegebenen Punkte gesprochen (Aufgabe eins und zwei)? bzw.
- Stellen Sie eine passende Frage zur Präsentation / Können Sie die gestellte Frage beantworten (Aufgabe drei)? und
- Wie stark war Ihr Akzent?

In **Aufgabe eins und zwei** achten die Prüfer außerdem auf den **Wortschatz** und die **Strukturen**, d. h.:
- Haben Sie immer die passenden Wörter benutzt? Und mussten Sie manchmal länger nach einem Wort suchen?
- Haben Sie viele Fehler gemacht? Und wie komplex sind die Sätze, die Sie bilden können?

In **Aufgabe eins** zählt schließlich auch noch die **Interaktion** mit dem Gesprächspartner, d. h.:
- Reagieren Sie auf das, was der andere Kandidat sagt oder benutzen Sie nur Ihre vorbereiteten Sätze?
- Können Sie auch spontan Probleme in der Kommunikation lösen? Können Sie also z. B. Ihre Meinung noch einmal anders sagen, wenn Ihr Partner Sie nicht versteht? Und können Sie noch neue Ideen bringen, wenn eine lange Pause entsteht?

TIPP Hören Sie vor der Übung die Beispiele aus einer Prüfung und lesen Sie die Anmerkungen dazu. Die Sprecherinnen in den Beispielen sind keine deutschen Muttersprachlerinnen. Deshalb hören Sie einen Akzent und kleine Fehler. Trotzdem würden beide Sprecherinnen die Prüfung mit einem guten Ergebnis bestehen.

Hier hören Sie ein Beispiel für die Begrüßung durch die Prüferin. Auch in Ihrer Prüfung wird die Prüferin oder der Prüfer am Anfang einige Fragen stellen. Zur Vorbereitung können Sie die Ausdrücke und Satzanfänge in Kapitel 1.1 wiederholen.

Hier hören Sie ein Beispiel für Teil 1. Wiederholen Sie zur Vorbereitung dieses Prüfungsteils die Ausdrücke für Vorschläge und Gegenvorschläge in Kapitel 5.1. Üben Sie diesen Teil am besten zusammen mit einer Partnerin oder einem Partner.

Hier hören Sie ein Beispiel für Teil 2 und 3. Wiederholen Sie zur Vorbereitung die Ausdrücke für Vor- und Nachteile in Kapitel 4.1 und die Ausdrücke für Präsentationen in Kapitel 12.2. Für die Rückmeldung wiederholen Sie die Ausdrücke in Kapitel 2.2.

Teil 1

Gemeinsam etwas planen Dauer: etwa drei Minuten

Ein Teilnehmer aus Ihrem Deutschkurs hat nächste Woche Geburtstag und wird 50 Jahre alt. Sie möchten den Geburtstag im Kurs feiern. Planen Sie die Feier zusammen.

Sprechen Sie über die Geburtstagsfeier. Sagen Sie Ihre Meinung zu den Punkten unten und teilen Sie Ihrem Partner mit, wie Sie seine Vorschläge finden. Kommen Sie am Ende zu einer Entscheidung, wann, wo und wie die Feier genau stattfinden soll.

50. Geburtstag planen
- Im Unterricht oder danach?
- Essen und Getränke?
- Geburtstagslied?
- Geschenk?
- ...

Teil 2

Ein Thema präsentieren Dauer: etwa drei Minuten

Präsentieren Sie Ihren Zuhörerinnen und Zuhörern ein aktuelles Thema. Dazu finden Sie hier fünf Folien. Bearbeiten Sie die Punkte links und notieren Sie rechts Ihre Ideen.

Nennen Sie Ihr Thema. Sagen Sie etwas zum Inhalt und zur Struktur Ihrer Präsentation.

„Komm, Schatz, wir ziehen aufs Land“

Wohnen – auf dem Land oder in der Stadt

Erzählen Sie von Ihrer eigenen Situation oder von einem Erlebnis, das zum Thema passt.

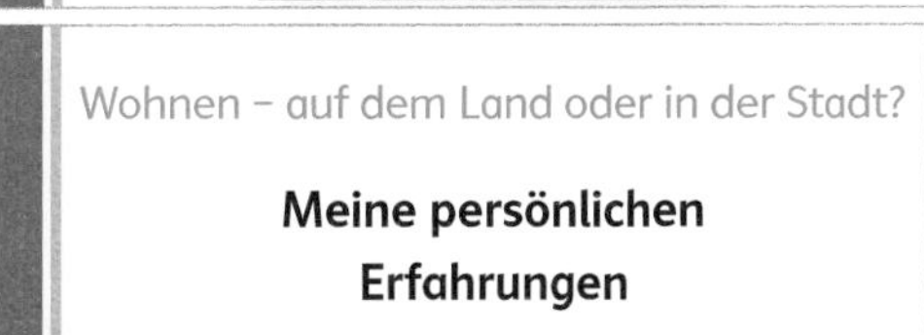

Wohnen – auf dem Land oder in der Stadt?

Meine persönlichen Erfahrungen

Berichten Sie von der Situation in Ihrer Heimat. Geben Sie ein paar Beispiele.

Wohnen – auf dem Land oder in der Stadt?

Stadt und Land in meinem Heimatland

Beschreiben Sie die Vor- und Nachteile. Sagen Sie am Ende Ihre Meinung und begründen Sie dazu Ihre Meinung mit ein paar Beispielen.

Wohnen – auf dem Land oder in der Stadt?

Vor- und Nachteile & meine Meinung

Beenden Sie Ihre Präsentation. Danken Sie daran, sich bei Ihren Zuhörern zu bedanken.

Wohnen – auf dem Land oder in der Stadt?

Abschluss und Dank

Teil 3

Über ein Thema sprechen

Nach Ihrer Präsentation:
Antworten Sie auf die Rückmeldung und auf Fragen der Prüfer/-innen und Ihrer Partnerin oder Ihres Partners.

Nach der Präsentation ihrer Partnerin/Ihres Partners :

a Geben Sie eine Rückmeldung zur Präsentation Ihres Partners / Ihrer Partnerin. (Wie hat Ihnen die Präsentation gefallen? Was war für Sie neu? Was fanden Sie interessant?)

b Stellen Sie Ihrer Partnerin oder Ihrem Partner eine Frage zu ihrer oder seiner Präsentation.

TIPP In Track 116 spricht eine deutsche Muttersprachlerin. Sie müssen nicht so perfekt sprechen, um die Prüfung mit einer guten Note zu bestehen.

15 Lösungen

Selbsttest A2

A Durchsagen
1 1f, 2d, 3a, 4e, 5b, 6c
2 1. 2 Euro 2. rechts, links in die Hauptstraße 3. 35 4. krank 5. 1,20 Euro, 2,40 Euro, 5,30 Euro 6. Nachmittag, Morgen, Abend

B Gespräch
1 richtig: 1, 3, 6, 8; falsch: 2, 4, 5, 7, 9
2 1b, 2a, 3c, 4b, 5b
3 2, 3, 5, 6

C Radiointerview
1 1b, 2c, 3bde
2 1. Hamburg 2. vier 3. besten Freund 4. Deutschkurs 5. deutschen 6. Gitarre 7. Geburtstag 8. Freunden 9. Geld
3 1, 2, 4

1 Kontakte

1 Und? Was machst du so?
1 1, 3, 4, 6, 7
2 Beruf: Anwalt, Zahnarzthelfer, Altenpfleger, Busfahrer, Maler, Metzger; Studium: Medizin, Biologie, Geschichte, Philosophie, Mathematik, Jura

3 Beispieläußerungen:
1. Ich bin Altenpflegerin von Beruf. / Ich studiere Biologie an der Uni (in) Berlin.
2. Nein, ich komme ursprünglich aus Indien. Ich bin in Goa aufgewachsen und mit 20 Jahren / vor drei Jahren nach Deutschland gekommen. / Ja, ich komme aus Dortmund. Aber meine Familie kommt ursprünglich aus Vietnam.
3. In Rumänien? Leider noch nie, aber ich habe gehört, dass es dort sehr schön ist. Eine Freundin von mir war mal in den Karpaten wandern und war ganz begeistert von der Natur. / Ja, ich war zweimal in Rumänien. Ich finde es toll dort. Die Menschen sind unheimlich nett.

4 2. richtig 3. Tarek studiert ~~Medizin~~ Jura. 4. Tareks Eltern kommen ursprünglich aus ~~Marrakesch~~ Marokko. 5. richtig 6. richtig 7. Sonja und Tarek sind ~~zusammen~~ nur Freunde. 8. Tarek möchte keine Salami-Pizza. 9. richtig
5a 1. letztes Jahr in Marokko 2. 2014 in Marrakesch 3. eine Woche da 4. dann hierher nach Kiel
5b richtig: 2
6 1. Sören war zwei Monate auf Kuba. 2. Micha hat Tarek gerade eben auf der Party kennengelernt. 3. Sören hat Tarek letztes Jahr bei einem Surfkurs kennengelernt. 4. Sören wohnt seit acht Jahren in Kiel.
7a 1b, 2d, 3a, 4c
7b 1. denn, so 2. denn 3. so 4. mal 5. mal 6. gerne
7d 1. Gerne. 2. so 3. mal 4. denn

8 Beispieläußerungen:
1. Frage: Wen kennst du denn hier auf der Party? Antwort: Sonja hat mich eingeladen und eben habe ich schon Sören kennengelernt.
2. Frage: Was machst du so beruflich? Antwort: Nein, ich studiere nicht. Ich arbeite zurzeit in einem Restaurant, aber eigentlich bin ich Friseur von Beruf.
3. Frage: Kommst du ursprünglich aus Kiel? Antwort: Nein, ich komme aus Venezuela, aus einem kleinen Dorf an der Küste. Warst du schon mal in Südamerika?
4. Frage: Was machst du so in deiner Freizeit? Antwort: Ich mache viel Sport. Ich gehe gern laufen und schwimmen. Und ich habe Fische. Das ist auch ein Hobby von mir.
5. Frage: Sag mal, hast du auch Hunger? Wollen wir mal in die Küche gehen? Antwort: Keinen Käsekuchen bitte. Aber von dem Apfelkuchen und der Schokoladentorte nehme ich gern ein Stück!

2 Haben Sie gut hergefunden?
1 1. Herr Wolter 2. Herr Wolter 3. Frau Yildiz
2 1. gut gefunden. 2. 2005 gegründet worden. 3. Berlin, Nürnberg und Hamburg. 4. IT und Software 5. fachlich gut und außerdem freundlich und zuverlässig 6. 35 Leute.

3 Beispieläußerungen:
Die Firma ist seit den 90er Jahren im Bereich Gastronomie tätig. Wir bereiten Essen für Veranstaltungen vor, liefern es und organisieren die Verpflegung vor Ort. Das Unternehmen ist 1996 gegründet worden. Zu unseren Kunden gehören Unternehmen, Schulen und Universitäten, aber auch Privatleute, die ihre Hochzeit oder ein anderes Fest feiern möchten.

4 1. individuell 2. kreativ 3. gründlich 4. vertrauensvoll 5. zuverlässig 6. kompetent 7. teamfähig 8. fachlich
5 1b, 2c, 3d, 4a
6 1. ein Informatikstudium abgeschlossen. 2. weiterbilden und weiterentwickeln möchte. 3. er nicht gern zwei Sachen gleichzeitig macht. 4. er gut mit anderen zusammenarbeiten kann und andere ihn auch kritisieren dürfen. 5. Teilzeit arbeiten und mindestens 3.700 Euro verdienen.

7 Beispieläußerungen:
Also, eine Stärke von mir ist, dass ich in Stresssituationen einen klaren Kopf behalte. Ich arbeite auch unter Druck sehr gründlich und treffe meist die richtigen Entscheidungen.
Meine größte Schwäche ist wahrscheinlich meine extreme Genauigkeit, zusammen mit meiner Ungeduld. Ich mag es nicht, wenn Aufgaben nicht vernünftig erledigt werden.

8 1. hergefunden 2. schlage vor 3. gegründet 4. betreuen 5. beschäftigt 6. hierhergezogen 7. einstellen 8. erfülle 9. betreuen 10. übernehme 11. liegen 12. entwickeln

9 Beispieläußerungen:
1. Ich bin ausgebildete Mechanikerin. Die Ausbildung habe ich in einer Autowerkstatt in Bremen gemacht.
2. Doch, schon, aber der Weg zum Arbeitsplatz ist für mich sehr weit. Ich wohne in Hamburg und das Unternehmen ist in Uelzen. Ich möchte aber wegen meiner Familie nicht aus Hamburg wegziehen, vor allem wegen meiner Kinder. Die gehen dort zur Schule.
3. Ja, ich denke, dass uns in der Ausbildung sehr wichtige Inhalte vermittelt wurden. Davon kann ich im Arbeitsalltag bestimmt profitieren.
4. Ich kann gut mit Menschen umgehen, sowohl mit Kunden als auch mit Kollegen. Wenn es Konflikte gibt, kann ich oft vermitteln.
5. Was ich nicht so gut kann, ist, unter Stress kreativ zu sein. Gute Ideen kann ich besser entwickeln, wenn ich Ruhe habe und mich mit meinen Kolleginnen beraten kann.
6. Also, in fünf Jahren würde ich gern eigene Projekte übernehmen. Ich könnte mir auch vorstellen, ein Team zu leiten.
7. Teilzeit würde mir besser gefallen. 25 bis 30 Stunden in der Woche wären perfekt für mich.
8. Also, bei meinem jetzigen Job verdiene ich 2.300 Euro brutto. Damit wäre ich zufrieden.

10 Beispieläußerungen:
- Ja, sehr gut, danke sehr. Ich bin mit dem Auto gekommen und mein Navi hat mich direkt hergeführt.
- Ich habe an der Universität Rostock Medizin studiert. Dann habe ich zwei Jahre im Nordklinikum in Schwerin gearbeitet. Anschließend bin ich zurück nach Rostock gezogen und arbeite seitdem dort in einer Privatklinik.
- Eine Schwäche von mir ist, dass ich nicht gern Verantwortung abgebe. Wenn ich eine Aufgabe übernehme, möchte ich jederzeit die Kontrolle über alles haben.
- Ich bin sehr genau und kann gut mit Patienten umgehen.
- Was mir dort nicht so gut gefällt, ist, dass wir vor allem Schönheitsoperationen machen. Ich möchte aber gerne wieder als Mediziner arbeiten, also Krankheiten behandeln. Diese Arbeit finde ich viel wichtiger.
- Also, in fünf Jahren wäre ich gern Oberarzt.

2 Gefühle und Konflikte

1 Wie geht's dir heute?
1 1. Ärger, Wut, Enttäuschung 2. Freude, Aufregung, Nervosität 3. Langeweile, Traurigkeit, Einsamkeit
2a 1. über 2. auf 3. von 4. auf 5. darüber 6. an
2b 1. über 2. auf 3. von 4. auf 5. über 6. an
3 1. schon geschrieben. 2. eine Reise gebucht. Deswegen kommt sie nicht zur Feier. 3. muss alles neu planen und ist sehr wütend.
4a 1. gibt 2. darf 3. kann 4. denkt 5. aufregen

4b Nachsprechübung
5 Eigene Lösung. Vergleichen Sie dazu den Hinweis auf S. 4.
6 1, 2, 5, 6, 7
7 1. für 2. auf 3. von 4. vor 5. auf 6. über
8 richtig: 1, 2, 3; falsch: 4
9 1. nehme an 2. vorstellen 3. vermute mal; Vermutungen
10 Eigene Lösung. Vergleichen Sie dazu den Hinweis auf S. 4.

2 Ich würde gern mal kurz mit Ihnen sprechen.

1 2, 3
2 Lob: etwas gut/toll finden, jemandem gefallen, jemandem positiv auffallen, etwas für gut halten; Kritik: einen negativen Eindruck von etwas haben, mit etwas unzufrieden sein, etwas schlecht/blöd/ schwierig finden, etwas für schlecht halten
3 1. eher gut 2. viel 3. aktiv
4 1. ganz gutes Gefühl 2. hätte ich mir gewünscht 3. muss sagen 4. zeigt mir 5. fand ich
5 2, 3, 4
6 3
7 Frau Schneider: 3, 5, 7; der Chef: 1, 2, 4, 6, 8, 9
8 1b, 2d, 3e, 4c, 5a
9 Eigene Lösung. Vergleichen Sie dazu den Hinweis auf S. 4.

3 Umzug und Wohnung

1 Wo sollen die Sachen denn hin?

1 (Beispiele)
in der Küche: der Herd, der Backofen, der Kühlschrank, der (Küchen-)Tisch, die Stühle, die Mikrowelle
im Wohnzimmer: das Sofa, die Couch, der Sessel, der (Wohnzimmer-/Couch-)Tisch, der Fernseher
im Schlafzimmer: das Bett, der Schrank, der Spiegel, der Nachttisch
im Badezimmer: die Dusche, die Toilette, die Waschmaschine, die Badewanne, der Spiegel
2 3
3 richtig: 1, 4, 5; falsch: 2, 3, 6, 7
4 1. hin 2. hierher 3. dahin 4. rein 5. unten
5 Wo?: unten, oben, hier, weg, dort, da, draußen, drinnen; Wohin?: rauf, runter, dorthin, weg, hierher, (da)hin, raus, rein, her
6 2. Nein, noch nicht. Ich bringe / hole / trage es gleich rein. 3. Nein, noch nicht. Ich bringe ihn gleich runter. 4. Nein, noch nicht. Ich bringe / trage sie gleich raus. 5. Nein, noch nicht. Ich hole sie gleich her. 6. Nein, noch nicht. Ich bringe ihn gleich hin / weg.
7 3, 4, 5, 6
8 1. kannst 2. am besten 3. lieber 4. Lass
9 2. Der Wagen muss noch weggefahren werden. 3. Was muss denn sonst noch gemacht werden? 4. Die Kartons müssen ausgepackt werden. 5. Die meisten Badezimmersachen sind zum Glück schon ausgepackt. 6. Und das Bett muss noch zusammengebaut werden. 7. Ja, stimmt, das Bett ist noch nicht aufgebaut!
10 3. Ja, die ist vorhin schon raufgetragen worden. / Ja, die ist schon raufgetragen. 4. Nein, die muss noch angeschlossen werden. / Nein, die ist noch nicht angeschlossen. 5. Ja, das Bett ist vorhin schon aufgebaut worden. / Ja, das ist schon aufgebaut. 6. Nein, die müssen noch ausgepackt werden. / Nein, die sind noch nicht ausgepackt. 7. Nein, das muss noch bestellt werden. / Nein, das ist noch nicht bestellt. 8. Nein, der muss noch zurückgebracht werden. / Nein, der ist noch nicht zurückgebracht.

2 Und dann müssten Sie noch die Mieterselbstauskunft ausfüllen.

1 1
2 1c, 2a, 3c, 4b, 5b
3a 1. feuchte Wände 2. eine kaputte Steckdose 3. dünne Wände / Decken, laute Nachbarn 4. eine sehr alte Heizung 5. ein kaputtes Schloss (vielleicht nach einem Einbruch) 6. ein kaputter Fußboden
3b Eigene Lösung. Vergleichen Sie dazu den Hinweis auf S. 4.
4 2, 3, 4
5 1, 2, 4, 6, 8, 9
6 Eigene Lösung. Vergleichen Sie dazu den Hinweis auf S. 4.

4 Unterwegs

1 An der nächsten Kreuzung links abbiegen

1 1B, 2D, 3A, 4C, 5E
2 2, 3, 4
3 zum Einkaufszentrum / Supermarkt

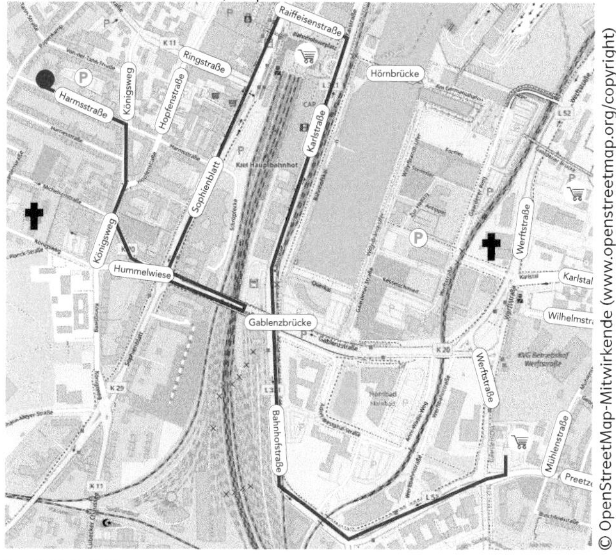

4 2, 3, 5, 6, 8
5 Britta: 1, 3, 4, 6 Kiri: 2, 5, 7, 8
6 1. Das Navi spinnt. 2. Ich hab' das so im Gefühl. 3. Sag' ich doch. 4. Jetzt ist rot. 5. Die Straße da müssen wir ein Stück entlang. 6. Da müssen wir links. 7. Jetzt wird's gleich grün. 8. Hier rechts rein.
7 1. Vorfahrt achten 2. Einbahnstraße 3. Wohngebiet 4. Rechts vor Links
8 richtig: 3, 4, 5 falsch: 1, 2, 6
9 1. Pass auf, da kommt was. 2. Jetzt ist frei. 3. Wo müssen wir jetzt lang? 4. Du musst über die Hauptstraße rüber.
10 Eigene Lösung. Vergleichen Sie dazu den Hinweis auf S. 4.

2 Die Abfahrt unseres Zuges verzögert sich um einige Minuten.

1 1B, 2E, 3D, 4A, 5C
2 1. Gate F 2. nur 3. Zwei 4. Singapur 5. ICE
3a 1b der der, 2a die die, 3d, 4c der der
3b 1. Passagiere 2. gestattet 3. Verspätungen 4. angenehmen 5. verzögert
4 1. das Halteverbot 2. Gleis 3 Abschnitt D 3. das Kennzeichen 4. das Gepäck
5 1B, 2D, 3C, 4A
6 1. Halter 2. Fahrzeug 3. geänderte 4. Abschnitten 5. Klasse 6. Bordrestaurant 7. Schaden 8. unbeaufsichtigt
7 Eigene Lösung. Vergleichen Sie dazu den Hinweis auf S. 4.
8 1D, 2X, 3B, 4A, 5X, 6E, 7C
9 2. ~~Linie 6~~: Linie 8 3. ~~einsteigen~~: aussteigen 4. ~~Hauptbahnhof~~: Bahnsteig 5. ~~30 Minuten~~: 10 Minuten 6. ~~Gleis 9~~: Gleis 7 7. ~~Richtung Rostock~~: Richtung Halle Hauptbahnhof 8. ~~verlängert~~: verzögert 9. ~~fertig~~: frei 10. ~~gereinigt~~: geteilt 11. ~~Durchsagen~~: Anzeigen
10 Eigene Lösung. Vergleichen Sie dazu den Hinweis auf S. 4.

5 Konsum

1 Das Beste daran ist, dass es so praktisch ist.

1 1c, 2a
2 1b, 2c, 3a
3a 1. ein Laptop, ein Smartphone (eine Alarmanlage, eine Heizung, eine Kaffeemaschine, ...) 2. speichern, sammeln, schützen, hacken (löschen, herunterladen, kopieren, ...) 3. etwas bedienen, etwas einschalten, die Lautstärke regeln (etwas anschalten, etwas ausschalten, den Bildschirm heller/dunkler machen, ...) 4. spielen, hacken, im Internet surfen (arbeiten, Videos ansehen, ...)
3b Eigene Lösung. Vergleichen Sie dazu den Hinweis auf S. 4.
4 1, 4, 5
5 1. Der Staubsauger 2. Der Backofen 3. Die Heizung 4. Die Kaffeemaschine 5. Die Steckdosen 6. ein Fenster 7. der Kameras
6 1. das Beste daran ist 2. ganz großer Vorteil ist 3. weiterer Vorteil ... besteht tatsächlich darin
7 Eigene Lösung. Vergleichen Sie dazu den Hinweis auf S. 4.
8 1, 3, 4, 6
9 1. große Gefahr ... darin 2. Dumme ist 3. Nachteil daran ist
10 Eigene Lösung. Vergleichen Sie dazu den Hinweis auf S. 4.

2 Kann ich Ihnen helfen?

1 1, 3, 4, 6
2 1. hätte gern 2. mit der 3. suche 4. die
3 Ich suche / hätte gern 1. ein Fahrrad, mit dem man im Gebirge fahren kann. 2. ein Kleid, das man auf einer indischen Hochzeit tragen kann. 3. einen Hustensaft, der keinen Alkohol enthält und für Kinder geeignet ist. 4. ein Auto, das angenehm leise ist. 5. ein Haus, das direkt am Meer liegt. 6. Blumen, die man im Frühling nach draußen pflanzen kann.
4 1. die Kapuze 2. der Knopf 3. der Reißverschluss 4. die Naht 5. der Ärmel
5 1b, 2a, 3a, 4b
6 1. Das Material der ersten Jacke fühlt sich ~~unangenehm~~ angenehm an. 2. Die Nähte sind ~~nicht~~ wasserdicht. 3. Die Kapuze ist nicht abnehmbar. 4. Die Ärmel sind so einstellbar, dass man sie ~~länger und kürzer~~ enger und weiter machen kann. 5. Die erste Jacke kostet ~~840~~ 480 Euro. 6. Die zweite Jacke ist ~~blau~~ rot. 7. Die Kundin hat Größe ~~L~~ M. 8. Die Qualität der beiden Jacken ist ~~absolut~~ nicht (unbedingt) vergleichbar. 9. Bei der zweiten Jacke ist die Temperatur ~~nicht~~ nur über den vorderen Reißverschluss regelbar. 10. Der Verkäufer geht ins Lager, um die Jacke in einer anderen ~~Größe~~ Farbe zu holen.
7 1. abnehmbar 2. einstellbar 3. vergleichbar 4. regelbar
8 Eigene Lösung. Vergleichen Sie dazu den Hinweis auf S. 4.

3 Das würde ich gerne umtauschen.

1 1. Nr. 2, 2. Nr. 1, 3. Nr. 3, 4. Nr. 1, 5. Nr. 3, 6. Nr. 2
2 1a, 2b, 3b
3 1b, 2b, 3b, 4a
4 1a, 2a, 3a
5 Eigene Lösung. Vergleichen Sie dazu den Hinweis auf S. 4.
6 1c, 2a, 3d, 4b

6 Freizeit und Verabredungen

1 Hättest du vielleicht auch nächste Woche Zeit?

1 1b, 2a, 3b
2 2, 4
3 1. Hättest du vielleicht Lust 2. Wir könnten 3. Wollen wir vielleicht 4. Was hältst du davon 5. Lass uns doch
4 2
5 1b, 2a, 3b, 4a, 5b
6 1. könnten wir auch 2. Wollen wir nicht lieber 3. Hättest du vielleicht auch
7 1. lieber 2. auch 3. auch
8 1. einen Vorschlag annehmen: Ich finde, das klingt gut. Das ist eine tolle Idee. Da hätte ich total Lust drauf. 2. Einen Vorschlag ablehnen: Hm, ich weiß nicht. Da kann ich leider nicht. Ehrlich gesagt, finde ich das nicht so interessant/praktisch/gut.
9 Eigene Lösung. Vergleichen Sie dazu den Hinweis auf S. 4.

2 Feierabend!

1 1. sehr, wahnsinnig, unheimlich 2. viel, sehr viel, wesentlich 3. am aller-, am alleraller-, mit Abstand am
2 1a, 2b, 3bce
3 1b, 2d, 3e, 4a, 5c, 6f, 7h, 8g
4 1. mir 2. Mir 3. mich 4. dich 5. ich 6. Ich 7. ich 8. meins 9. dir
5 Eigene Lösung. Vergleichen Sie dazu den Hinweis auf S. 4.
6 1
7 2, 3, 5
8 1. Mir ist es ... wichtig 2. kommt total darauf an 3. Was mir ... wichtig ist
9 Eigene Lösung. Vergleichen Sie dazu den Hinweis auf S. 4.

7 Kultur und Medien

1 Worum geht es in dem Buch?

1 1. Antonia Hofreiter 2. Roman Perkovic 3. Kerstin Fischer
2 1Bc, 2Ca, 3Ab
3 2, 3, 5
4 1b, 2b, 3a, 4b, 5a, 6a
5 richtig: 1, 3, 4; falsch: 2, 5
6 1b, 2a, 3b, 4a, 5b, 6b, 7b
7 Eigene Lösung. Vergleichen Sie dazu den Hinweis auf S. 4.

2 Heute kommt im Zweiten ein Krimi.

1 b
2 1. kommt 2. Nachrichten 3. im 4. über 5. Zweiten 6. Wiederholung 7. Serie 8. Folge 9. Sendung 10. Dritten 11. Spielfilm
3 Eigene Lösung. Vergleichen Sie dazu den Hinweis auf S. 4.
4 1c, 2e, 3a, 4b, 5d
5 C
6 1. Beweise 2. Vorstrafen 3. tot 4. Blutspuren 5. bewegt 6. Hinweise 7. Verdächtiges 8. Zeugen
7 Eigene Lösung. Vergleichen Sie dazu den Hinweis auf S. 4.

8 Gesundheit

1 Wozu würden Sie mir raten?

1 1c, 2b
2 1ab, 2b, 3b, 4ab, 5ab, 6a, 7a
3 1c, 2a, 3b
4 1. sollten 2. würde 3. könnten 4. wäre 5. würde
5 2, 3, 5, 8
6 1. Am besten wäre es sicherlich 2. Lesen Sie lieber ein wenig 3. Am besten ist es 4. Und noch ein letzter Tipp
7 1b, 2b
8a 1. du 2. Sie 3. du 4. Sie
8b Eigene Lösung. Vergleichen Sie dazu den Hinweis auf S. 4.
9 Eigene Lösung. Vergleichen Sie dazu den Hinweis auf S. 4.

2 Das tut gar nicht weh.

1 1d, 2a, 3c, 4b, 5e
2 1b, 2b, 3a, 4a, 5b
3 1. Der Patientin sind Augentropfen verschrieben worden. 2. Dem Patienten ist Fieber gemessen worden. 3. Dem Patienten ist ein Gips angelegt worden. 4. Der Patientin ist eine Spritze gegeben worden.
4 Eigene Lösung. Vergleichen Sie dazu den Hinweis auf S. 4.
5 2
6 1a, 2b, 3a, 4a
7 1C, 2A, 3B
8 1. Brust 2. Herz 3. gefallen 4. schwarz 5. gestürzt 6. gebrochen
9a Eigene Lösung. Vergleichen Sie dazu den Hinweis auf S. 4.
9b 1. bleiben 2. beruhigen 3. sprechen 4. ohnmächtig 5. aufstehen 6. sitzen

9 Arbeit

1 Firma InTec, Sie sprechen mit Frau Jansen.

1 2, 3
2a 1. sprechen 2. wollte 3. Anschluss 4. erreichen 5. außer Haus 6. ab 7. ausrichten 8. war noch gleich 9. von der aus 10. speichere 11. zurück
2b 1. erreicht 2. auszurichten 3. zurückruft
3 Frau Leidinger: 1; Herr Salman: 2, 3
4 1 weniger, 2 gleich zur Hand, 3 richtig, 4 nicht alles richtig, 5 2.500 Nägel
5 4, 5, 6
6 1, 2, 5, 6, 7
7 Eigene Lösung. Vergleichen Sie dazu den Hinweis auf S. 4.

2 Auch heute sind wieder zahlreiche Arbeitnehmerinnen und Arbeitnehmer auf die Straße gegangen.

1 1a, 2e, 3d, 4c, 5b
2 3
3 1. 300 2. ein halbes Jahr 3. gestern Morgen 4. wütend, enttäuscht, nicht ernst genommen
4 1be, 2cd, 3af
5 1b, 2a, 3b, 4b, 5b, 6b
6a 1. Was sollen wir denn machen 2. wie soll das ... denn gehen 3. Wie soll ich denn 4. Und alles nur 5. Stellen Sie sich das mal vor 6. Wozu haben wir denn 7. meiner Meinung nach 8. Wir haben das Gefühl
6b 1a, 2b, 3a
7 Eigene Lösung. Vergleichen Sie dazu den Hinweis auf S. 4.

10 Behörden

1 Polizeidirektion Mitte, was kann ich für Sie tun?

1 1. Eigenbedarf 2. Aktenzeichen 3. Anliegen 4. Ermittlung 5. Verstoß

2 1. 110 2. 3 3. 2 4. 1
3 3
4 1 letztes Jahr, 2 nie, 3 lange renoviert, 4 ein Paar, 5 eine andere Abteilung der Polizei
5 2, 3, 4, 5, 7
6 1b, 2a, 3b, 4a, 5b, 6a, 7b, 8a, 9b
7 1d, 2c, 3b, 4e, 5a
8 Eigene Lösung. Vergleichen Sie dazu den Hinweis auf S. 4.
9 Eigene Lösung. Vergleichen Sie dazu den Hinweis auf S. 4.

2 Dann müssten Sie nachher noch die Anlage WEP ausfüllen.

1 1. Herr 2. - 3. - (Bleibt noch leer. Herr Keduk muss die Nummer erst zu Hause nachschauen.) 4. ab sofort 5. geschieden seit 25.2.2018 6. - (wird vom Jobcenter ausgefüllt)
2a 2, 5, 6, 8. Ja 9. Nein 10. Ja 11. Nein
2b 1, 3
3 1, 5. Asia-Restaurant, Hannover, 6, 15, 16, 17. BGK
4a 1b, 2c, 3d, 4a
4b 1. eheähnliche 2. Alleinerziehend 3. Behindert 4. sozialversicherungspflichtige 5. eingetragenen 6. gesundheitlichen 7. tätlichen
5 Eigene Lösung. Vergleichen Sie dazu den Hinweis auf S. 4.

11 Bankgeschäfte

1 Ich würde gern ein Konto bei Ihnen eröffnen.

1 1d, 2c, 3b, 4e, 5a
2 2, 3, 4, 6, 7, 8
3 1b, 2c, 3b, 4c, 5a, 6b
4 1a, 2b, 3a, 4a
5 1b, 2a, 3a, 4b
6 2, 3, 5, 6
7 1. SCHUFA 2. SEPA-Lastschriftmandat 3. Datenschutzerklärung
8 Antworten des Bankangestellten: 1. 4,50€ im Monat 2. kostenlos / 0€ 3. bis 8.000€ kostenlos, ab 8.000€ 7% 4. 20€ 5. 40€ 6. Partnerbanken (siehe Liste)
Sprechen: Eigene Lösung. Vergleichen Sie dazu den Hinweis auf S. 4.
9 Eigene Lösung. Vergleichen Sie dazu den Hinweis auf S. 4.

2 Bald nur noch bargeldlos?

1 1, 3, 4
2 1b, 2c, 3b, 4c, 5c
3 1d, 2a, 3e, 4f, 5b, 6c
4 1. Gerät an der Kasse 2. Bezahlmethoden 3. nimmt zu 4. Bargeld 5. Münzen 6. Viren 7. Geldscheine 8. darüber nachdenken 9. Kleingeld 10. Bankautomaten 11. überprüft werden 12. modern wirkt 13. Gesellschaftlicher Fortschritt
5 Eigene Lösung. Vergleichen Sie dazu den Hinweis auf S. 4.
6 Eigene Lösung.
7 Eigene Lösung. Vergleichen Sie dazu den Hinweis auf S. 4.

12 Zukunft

1 Wie stellen Sie sich Ihre berufliche Zukunft vor?

1a 1. Tierpfleger 2. Realschulabschluss 3. als Tierpfleger arbeiten 4. in einem Labor arbeiten 5. Medizin 6. Abitur 7. als (Haus-)Ärztin arbeiten 8. in einer Notaufnahme einer großen Klinik in der Stadt arbeiten 9. Tänzer 10. Abitur und Abschluss als staatlich geprüfter Tänzer 11. auf vielen berühmten Bühnen tanzen und so lange wie möglich als Tänzer arbeiten 12. Ballettunterricht geben
1b 1. hatte nie vor 2. kann ich mir alles gut vorstellen 3. Am liebsten würde ich 4. Wo ich nicht arbeiten möchte 5. Mein Ziel ist es 6. das kann ich mir nicht vorstellen
2 Malte: 3, 4; Serap: 1, 5; Mladen: 2, 6
3 1c, 2a, 3b
4 1a, 2b, 3b, 4b, 5a, 6a
5 1. bin 2. arbeite 3. möchte 4. arbeite 5. tanze 6. arbeite
6 Eigene Lösung. Vergleichen Sie dazu den Hinweis auf S. 4.

2 Was für eine Welt werden wir unseren Kindern hinterlassen?

1 1b, 2b, 3a
2a 1a, 2b, 3b, 4b
2b Futur: 1, 4, 6; Prozess: 2, 3; Passiv: 5
3a 2. Viele junge Leute möchten in sinnvollen, ~~praktischen~~ kreativen Berufen arbeiten. 3. Die neuen Berufsfelder beeinflussen den Alltag und das ~~Berufsleben~~ Privatleben. 4. Die neue Flexibilität hat besonders für ~~Männer~~ Frauen auch Nachteile.
3b 1e, 2a, 3b, 4c, 5d
4a richtig: 2, 3, 5; falsch: 1, 4, 6
4b 1. konsumieren 2. weiter wächst 3. begrenzt 4. Wirtschaftsmodell 5. grüne 6. Strom 7. entsorgt 8. notwendig 9. teilen 10. Trend 11. Richtung 12. reparieren 13. verleihen 14. Nachbarn
5 Eigene Lösung. Vergleichen Sie dazu den Hinweis auf S. 4.

Prüfungstraining

Deutschtest für Zuwanderer

Hören:
1 1a, 2c, 3b, 4b
2 5c, 6b, 7a, 8a, 9a
3 10 richtig, 11c, 12 falsch, 13a, 14 richtig, 15b, 16 falsch, 17a
4 18e, 19a, 20d
Sprechen: Eigene Lösung.

Goethe-Zertifikat B1

Hören:
1 1 Falsch, 2a, 3 Falsch, 4b, 5 Richtig, 6b, 7 Richtig, 8b, 9 Falsch, 10a
2 11c, 12c, 13a, 14b, 15c
3 16 Falsch, 17 Falsch, 18 Falsch, 19 Richtig, 20 Falsch, 21 Richtig, 22 Richtig
4 23 Moderator, 24 Maria Huber, 25 Kenan Hansen, 26 Moderator, 27 Maria Huber, 28 Kenan Hansen, 29 Moderator, 30 Maria Huber
Sprechen: Eigene Lösung.

Bildnachweis
123RF.com, Nidderau: **31.3** (qvist); **47.3** (3quarks); Getty Images, München: **68,69** (kyoshino); **6, 17.2, 28** (Image Source); **7, 34** (andresr); **8** (ajr_images); **9, 11** (milan2099); **10** (Juergen Sack); **12, 13** (Wavebreakmedia); **15.1** (stock_colors); **15.2** (John Rowley); **15.3** (EMS-FORSTER-PRODUCTIONS); **16** (hidesy); **17.1** (Digital Vision); **17.3** (zoranm); **17.4, 69** (SDI Productions); **17.5, 20.2, 66.1, 86.1** (Hinterhaus Productions); **18, 36.5** (SolStock); **19.1** (MStudioImages); **19.2** (Jon Feingersh Photography Inc); **19.3, 44** (Tara Moore); **20.1** (10';000 Hours); **20.3** (John M Lund Photography Inc); **21** (VikiVector); **22** (Dean Mitchell); **24** (hanohiki); **25.1** (Evgen_Prozhyrko); **25.2** (Sergei Telenkov); **25.3** (SIphotography); **25.4** (Animaflora); **25.5** (G0d4ather); **25.6** (gaiamoments); **27.1** (TongSur); **27.2** (LueratSatichob); **29.1** (hackisan); **29.2, 31.1** (Detailfoto); **29.4** (Martin Ruegner); **29.5** (Bernhard Lang); **29.6** (Marco_Piunti); **29.7** (olaser); **29.8** (VukasS); **30** (dan_alto); **31.2** (querbeet); **31.4** (Vera_Petrunina); **33** (sturti); **35.1** (John Lamb); **35.2** (Luis Alvarez); **35.3, 36.4, 53, 62.2, 76.1** (PeopleImages); **36.1** (Ian Spanier); **36.2** (Yamini Chao); **36.3** (Tom Werner); **36.6** (FG Trade); **37** (domin_domin); **38** (RossHelen); **39** (vesmil); **39.3** (Bim); **41** (Angelika); **43.1** (FamVeld); **43.2** (Ascent/PKS Media Inc.); **45.1** (Poike); **45.2** (Lilly Roadstones); **47.2** (D-Keine); **47.4** (Bambu Productions); **48.1** (pixalot); **48.2** (JuliaNicole); **49** (HearttoHeart0225); **52.1, 52.5** (ET-ARTWORKS); **54** (David Zach); **55.1, 91.1** (AleksandarNakic); **55.2** (sdominick); **55.3** (Andersen Ross Photography Inc); **55.4** (John Rensten); **56.1** (DragonImages); **56.2** (laflor); **56.3** (RealPeopleGroup); **56.4** (evrim ertik); **56.5** (vandervelden); **56.6** (Jose Luis Pelaez Inc); **57.1** (Biscut); **57.2** (RunPhoto); **57.3** (KatarzynaBialasiewicz); **58.1** (Fertnig); **58.2** (EmirMemedovski); **58.3** (Nes); **59** (Portra); **60.1, 60.2** (miodrag ignjatovic); **62.1** (GgWink); **64** (Tashi-Delek); **65.1** (code6d); **65.2** (Richard Drury); **66.2** (PeJo29); **71** (fizkes); **72** (TwilightShow); **74.1** (AndreasWeber); **74.2** (Zerbor); **74.3** (Tera Images); **74.4** (Morsa Images); **76.2** (AzmanJaka); **76.3** (alvarez); **80.1** (mixetto); **80.2** (izusek); **86.2** (Sara Monika); **91.2** (Rasmus Lawall); **47.1** Klett-Archiv, Stuttgart; **27, 93.3** © OpenStreetMap-Mitwirkende (www.openstreetmap.org/copyright)